GAFAM＋テスラ 帝国の存亡？

ビッグ・テック企業の未来はどうなるのか

田中道昭 立教大学ビジネススクール教授

SE SHOEISHA

はじめに

毎年米ラスベガスで開かれるCESには、世界中のテクノロジー企業や自動車メーカー、家電メーカーなどから出品された数多くの製品が並びます。世界のテクノロジー産業をウォッチするのにも最適で、2023年1月に、3年ぶりに現地まで足を運んでみました。

このCESの前から、実はちょっと不穏なニュースが流れていたのです。前年から今年にかけて、テック業界ではリストラの嵐が吹き荒れています。アメリカのテック業界だけで、10万人を超えるリストラがあり、それもグーグルやアマゾン、メタ（旧フェイスブック）といったいわゆるGAFAMでさえ大規模なリストラをしているというのです。そのため、**GAFAMが「冬の時代」に突入しているる**とまでささやかれるようになっていました。

いうまでもなく、GAFAMとはビッグ・テックと呼ばれる米国情報産業の中で最も規模が大きく有名な5社です。グーグル、アップル、メタ、アマゾン、マイクロソフトの5社ですが、その社名を知らない人のほうが少ないのではないでしょうか。

そのGAFAMの業績に、陰りが出てきているというのです。確かに、グーグルの親会社であるアルファベットや、アマゾンでは2022年の売上高は前年を上回ったものの、純利益が落ちたりマイナスになりました。こうした業績悪化を受けて、ＧＡＦＡＭでもここ数年にない大規模なリストラが行われています。

だからといってＧＡＦＡＭが冬の時代に突入した、などと短絡的にいえるのでしょうか。

企業の価値や規模を評価するときの指標である時価総額は、ＧＡＦＡＭだけで６・７兆ドルになります。日本のすべての企業の時価総額をあわせると６～７兆ドルとされていますから、ＧＡＦＡＭがいかに大規模で、そしていかに価値のある企業なのかがわかります。

確かに23年になってからも、テック業界に関するさまざまなネガティブなニュースが飛び込んできています。たとえば、22年第４四半期の世界のパソコン出荷台数が、前年同期に比べて27・８％減と過去最大の下落だったというニュースが流れ、とうとうパソコンの時代が終わったと解説されていました。アメリカの調査会社であるガートナーからは、23年にはパソコン、スマートフォン、タブレットなどの出荷台数が22年実績を下回る見通しだとの予測も出ています。

23年３月には、米西海岸シリコンバレーにあるシリコンバレーバンク（ＳＶＢ）が経営破綻し、米連邦預金保険公社の管理下に入ったことが伝えられました。シリコンバレーバンクは米テック企業への融資で知られており、08年のリーマン・ブラザーズ破綻に次ぐ規模だったため、テック企業への波及が心配されています。

シリコンバレーバンクには約4万社もの顧客がおり、その多くがテック関連企業だとされています。これらのテック企業が、世界中の人々の日常生活に深く関わってきているわけですから、多くの人たちの生活にも直接的、間接的に影響が出てくるわけです。

悪いニュースばかりではありません。22年11月に公開されたオープンAIのチャットGPTが瞬く間に人気となり、マイクロソフトの検索サービス「ビング」にこのチャットGPTが盛り込まれ、「検索」が新たな局面を迎えています。質問すれば自然な言葉で回答してくれるこの人工知能チャットボットの出現は、大きな危険性も指摘されていることから注意も必要ですが、仕事の生産性を飛躍的に高めるなど、ビジネスに革命をもたらすと予想されます。

オープンAIやマイクロソフトばかりでなく、グーグルもアマゾンも、そしてテスラを率いるイーロン・マスクさえも、生成AIを利用した何らかのサービスを考えています。

確かに「冬の時代」といわれるように、GAFAMの業績は低下しつつあります。株価も下がりぎみで、経済全般を見ればドル高の影響や、広告費の減少といったマイナス要因も影響しています。

さらに新しいサービスやテック企業の出現で、方向転換を強いられている企業もあります。典型例がメタです。若者の間ではフェイスブック離れが進行し、代わってティックトックのようなSNSが流行。フェイスブックはメタ・プラットフォームズに社名まで変え、メタバースという新しい分野に再起をかけるようです。

このようにひと口にGAFAMといっても、それぞれの企業によって目指すところも業績も、あるいは経営方針も社風も、すべて異なっています。**そこで本書では、GAFAMと一括にまとめられるビッグ・テック企業を、それぞれの社に焦点を当てて現状を分析し、プラス面もマイナス面も含め、さらに将来への展望まで含めて解説してみました。さらにGAFAM5社に加えて、テスラについても解説しました。**

テスラは電気自動車のメーカーですが、それだけではありません。クリーンエネルギーのエコシステムを作り出し、さらにGAFAMに劣らぬテクノロジーを生み出している企業なのです。

「冬の時代」といわれるように、ビッグ・テックと呼ばれるGAFAM帝国は衰退への道をたどろうとしているのでしょうか。あるいは、新たな強固な帝国を築き上げようとしているのでしょうか。**GAFAM+テスラという6社の現状を分析すれば、テック業界や関連するさまざまな業界の「今」が理解でき、さらに未来も見通せるのです。**

2023年6月　田中　道昭

GAFAM＋テスラ　帝国の存亡◉もくじ

Contents

第4章 メタ（フェイスブック）の大転換――91

Contents

第6章

検索事業とクラウドのナンバーワンを狙うマイクロソフト——157

第7章 ライバル企業の急先鋒テスラ―― 189

第8章 その他のＧＡＦＡＭのライバルとなる企業

第9章 GAFAMはどこに向かうのか？——257

文中、敬称略

第1章

GAFAMを襲う
コロナブーメラン効果

GAFAMが軒並みレイオフを実施

2023年1月に、米ラスベガスでCES 2023が開催されました。新型コロナウイルスの影響で、前年はオンラインでの参加でしたが、今回はリアルで参加しました。このCESのいたるところで耳にしたのが、「**コロナブーメラン効果**」という言葉でした。

CESは、世界最大級のテクノロジーショーです。このCESも、2020年初頭に始まった新型コロナウイルスによる世界的なパンデミックで、20年にはリアルで開催されたものの、翌21年は完全オンラインで、22年にはリアルとオンラインが半々で開催という状況でした。23年になって、ようやく私も3年ぶりにリアルでの参加となったのです。

このコロナ禍で影響を受けたのは、もちろんCESだけではありません。CESに出展している世界中のテック企業も、大きく影響を受けてきました。ただし、多くのテック企業にとってコロナは「コロナ特需」とも呼べるもので、巣ごもりやリモートワークの影響でハードやソフト、サービスなどの売上増に結びついたものでした。

そのコロナ特需は、人々がウイズコロナに移行することによって、その反動とも呼べる「コロナブーメラン」となって返ってきたのです。そのことを端的に表しているのが、2

022年半ばから2023年初頭にかけてのリストラです。グーグル（Google）で1万2千人、マイクロソフト（Microsoft）社で1万1千人、アマゾン（Amazon）にいたっては1万8千人の人員削減が行われたのです。

もちろん、コロナブーメラン効果だけではなく、景気後退懸念による広告費削減の影響や、過大投資による余剰キャパシティー、顧客離れなどの問題もあります。しかし、22年のアメリカのテック企業では、合計で約10万人の人材が削減されているのです。これは前年比7・5倍にもなる数字です。

こんなところから「コロナブーメラン効果」という言葉が出てきたのでしょうが、**米テック企業の代表であるGAFAMが軒並みレイオフを実施し、減益となっている**のです。

GAFAMの5社がそろって減益というのは、1年前までなら考えられなかったような光景です。景気減速やサプライチェーン問題などの影響もありますが、これは世界のビッグ・テックGAFAMの凋落への端緒でしょうか――。

そんなことはありません。たとえばマイクロソフト社は、23年1月に人工知能チャットボットのチャットGPT（ChatGPT）を、同社の検索サービスBing（以下、ビングと表記）に融合させた「新しいビング」のサービスを開始しました。検索サービスでグーグルの後塵《こうじん》を拝していたビングですが、いち早くAIを取り込むことで、〝打倒グーグル〟を

■図1-1　テック業界のリストラの推移

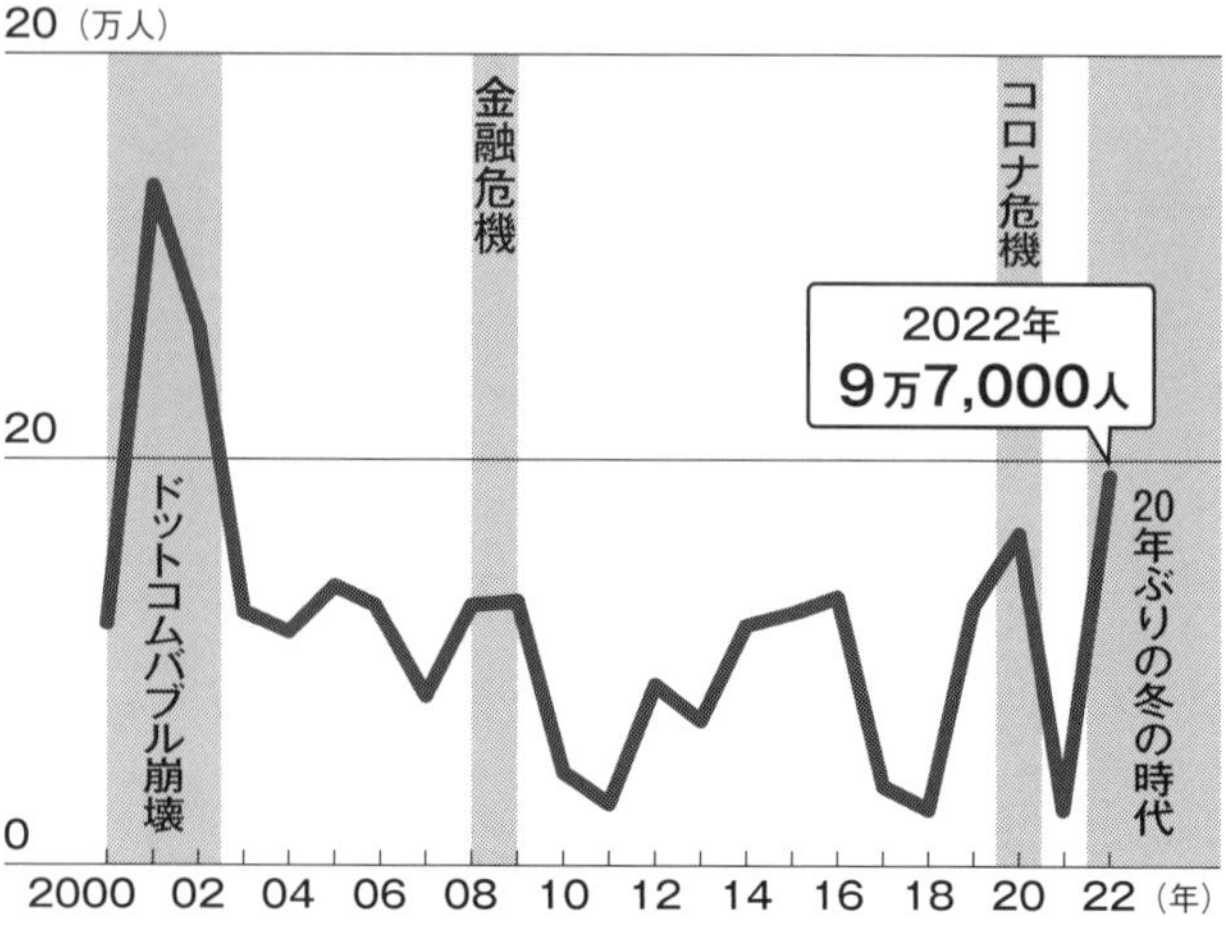

出所：チャレンジャー・グレイ＆クリスマス

目指して激しく追い上げようとしています。

21年10月に、社名を「メタ・プラットフォームズ（Meta Platforms. Inc.）」に変更したＳＮＳの老舗フェイスブック（Facebook）は、社名通りメタバースに大きく舵《かじ》を切ろうとしています。メタバースとはコンピュータ内に構築された仮想空間やそのサービスのことで、ある調査によればその市場規模は２０２５年には50兆円に、２０３０年にはなんと1千兆円もの規模になると予測されています。

これらのＡＩやメタバースの分野でも、ビッグ・テックのＧＡＦＡＭが大きな存在感を示しているのです。コロナブーメラン効果による大規模リストラや減益という局面でも、**GAFAMの現状やその目指すところを分析・考察・予測するのは、今後の世界経済を読み解く上で、これまで以上の重要さを持ってきている**のです。

ビッグ・テックを構成するビッグ・ファイブ

ところでGAFAMというのは、もともとはニューヨーク大学スターン経営大学院のスコット・ギャロウェイ教授が、『the four GAFA 四騎士が創り変えた世界』（原題：The Four：The Hidden DNA of Amazon, Apple, Facebook, and Google、2018年翻訳）というビジネス書がベストセラーになることで一般にも広まった言葉です。

Google、Apple、Facebook、Amazonの4社の頭文字をとったものですが、アメリカではこのGAFAよりも「ビッグ・テック」「ビッグ・フォー」といった言葉のほうがよく使われています。その言葉通り、規模が大きく、影響力を持ち、社名の知られた4〜5社を指しています。

一般的にはビッグ・フォーがGAFA、ビッグ・ファイブならGAFAにMicrosoftの「M」を加えてGAFAMを意味しており、その総称として「ビッグ・テック」という言葉が使われています。そのGAFAMを簡単に説明すれば、次の5社です。

・G＝Google：グーグル。世界最大の検索エンジンで、検索サービスやオンライン広告、クラウド・コンピューティング、さらにソフトウェアやハードウェア関連の事業も行うアメリカを代表するIT企業。グーグルそのものは、2015年よりAlphabet Inc.（アルファベット）の子会社となっており、GAFAMの「G」もアルファベットの「A」に変えるべきだという意見もあるが、一般的にはグーグルの名で通っている。

・A＝Amazon（Amazon. com, Inc.）：アマゾン。日本でも多くのユーザーを抱えるインターネット通販の企業。書籍のネット販売からスタートし、今では3億5千万品目を超える品ぞろえを誇っている。小売だけでなく、プライム・ビデオや電子書籍に代表されるデジタルコンテンツの販売やそのサブスクリプション・サービス、さらにクラウド・コンピューティング・サービスのAWS（アマゾン・ウェブ・サービス）などを展開している。

・F＝Facebook：フェイスブック。2021年10月に「メタ・プラットフォームズ」に社名を変更したため、ビッグ・ファイブでも「M」になりそうだが、旧社名でもあったフェイスブックの頭文字をとっている。SNSの中でも、会員数29億6千万人（2023年2月現在）を擁する世界最大のSNSであり、最近ではメタバースの開発を核に据えたサービスの展開に乗り出している。

・A＝Apple（Apple Inc.）：アップル。スマートフォンのiPhone（アイフォーン）やiPad（アイパッド）、パソコンのMac（マック）、スマートウォッチのApple Watch（アップルウォッチ）などのハードの開発、販売を行うメーカー。アップルミュージックやアップルTV、さらにアップルブックス、アップストアといったソフトの開発・販売、デジタルコンテンツの販売なども行っており、iCloud（アイクラウド）のクラウドサービスも提供している。

・M＝Microsoft（Microsoft Corporation）：マイクロソフト。世界で最も利用者の多いパソコンのOS（基本ソフト）であるWindows（ウィンドウズ）を開発・販売している企業。近年はハードも発売しており、さらにMSオフィスやブラウザのEdge（エッジ）、検索サービスのBing（ビング）、クラウドサービスのAzure（アジュール）といったサービスも展開している。

以上の5社の頭文字をとり、GAFAMと呼んでいますが、いずれもアメリカで起業された世界のトップ・ビッグ・テックです。その規模は、世界数百万、時には数億人を対象としたサービスを展開しており、自社のユーザーの行動やユーザーデータの管理にも、大きな影響力を持つことができる企業です。

現在の世界経済の中心ともいえるEコマース、コンピュータ、ソフトウェア、オンライン広告、人工知能、自動運転車、ソーシャルネットワークといった分野で、圧倒的な強さを持った企業でもあります。各社は、最大時価総額が1兆～3兆ドル（約137兆円～400兆円）以上にもなっています。トヨタ自動車の時価総額が31兆円程度ですから、GAFAMが桁違いなビッグテックだということがよくわかるでしょう。

GAFAMの四半期売上高

GAFAMがいかに巨大な企業かはいうまでもありませんが、しかし前述したように2023年にはコロナブーメラン効果によって、その業績にも陰りが見え隠れしてきました。

■表1-1　GAFAM各社の2022年10〜12月期の売上高と純利益

	売上高	純利益
アルファベット（グーグル）	760億4,800万ドル	136億2,400万ドル
アップル	1,171億5,400万ドル	299億9,800万ドル
メタ（フェイスブック）	321億6,500万ドル	46億5,200万ドル
アマゾン	1,492億400万ドル	2億7,800万ドル
マイクロソフト	527億4,700万ドル	164億2,500万ドル

23年初頭には、GAFAM各社の22年10〜12月期の業績が発表されました（表1-1）。

さらに過去4年間の売上高（表1-2）を見ると、コロナ禍にもかかわらず各社ともに順調に売上を伸ばしているように見えます。

これがビッグ・テックの〝コロナ特需〟といわれるゆえんです。2010年代頃からテック企業に金が集まり始め、中でもGAFAMは群を抜いて業績を伸ばしてきました。

実際、売上高だけで見れば、GAFAM5社の合計はこの4年間で8千億〜1兆5千億ドルへと推移しています。ところが、実際の各社の利益を見ると、22年から減収にはなっていないものの、その伸び、つまり成長率が落ちてきているのです。

そのため、この減益を「コロナブーメラン効果」と呼び、さらに「**冬の時代**」などという声も出始めています。「冬の時代」とは、すなわちGAFAMのブームが去り、各社の業

■表1-2　GAFAM各社の売上高の推移

（億ドル）

	2019年	2020年	2021年	2022年
アルファベット（グーグル）	1,620	1,825	2,527	2,828
アップル	2,601	2,745	3,658	3,943
メタ（フェイスブック）	706	859	1,179	1,166
アマゾン	1,584	3,861	4,698	5,140
マイクロソフト	1,258	1,430	1,680	1,983

※決算期末は、アップルは９月末、マイクロソフトは６月末

績が低調になり、衰退に向かうのではないかという意味です。

実際にＧＡＦＡＭ各社の年間売上高を見ると、22年度の売上高はグーグルが前年比１１２％、アップルが同じく前年比１０８％、マイクロソフトが１１８％、メタに至っては前年比99％とマイナスになっているのです。

この成長率の鈍化は、もちろん株価にも影響が出てきます。22年にはグーグルやアマゾンの株価は20％以上も下がったといわれています。株価の下落と成長率の低下、そして業績の低迷によって、ＧＡＦＡＭはまさに冬の時代に突入しようとしている、と推測されているのです。

もちろん、ドル高の影響やコロナ禍による広告費の減少といった要因も無視できません。実際の数値以上に業績の悪化が懸念され、さらにそれが株価の下落にも結びついていきます。

ＧＡＦＡＭは、グーグルの検索プラットフォームや、ア

ップルのハードウェア向けのアプリやコンテンツのプラットフォーム、アマゾンのネットショップのプラットフォームなど、いずれも独自のプラットフォームを展開することで、大きな利益を上げてきました。

ところが20年代になってメタバースやＡＩといった新たな技術やサービスが出現し、これらのプラットフォームを作り出すようなテック企業も出現してきました。これらの新しいプラットフォームの台頭、さらにスマホアプリの配布や販売に対する公正取引委員会による規制強化、そして人材不足や企業文化の変化といった複数の要因により、巨大になり過ぎた恐竜がやがて絶滅したように、ＧＡＦＡＭもまた冬の時代に突入し、やがて解体・衰退していくのではないか、それがコロナブーメラン効果後の懸念として出てきているのです。

2022年の解雇は13倍に

ＧＡＦＡＭが衰退し始めているのではないかという懸念は、**従業員の大幅解雇**という動きにも見られます。

グーグルは23年1月、全世界で1万2千人を解雇すると発表して大きな話題となりました。「2週間以内に退職を決めた場合、退職金を増額する」などと書かれたメールが一部の社員に届き、ある日突然、社員証が無効になって会社にすら入れなくなった、などという話がまことしやかに流れていました。日本ではとうてい考えられない状況ですが、日本のグーグルの合同会社でもメール1通で解雇といった、似たような状況が訪れる可能性も高いようです。

アマゾンでは1万8千人の従業員を解雇する計画が発表され、23年1月には影響を受ける従業員に通知するとアンディ・ジャシーCEOが発表しています。さらに3月には、人事、広告などを中心にさらに9千人のレイオフを発表しています。

もともとアマゾンでは、19年末に79万8千人の従業員がいましたが、コロナ禍でオンラインサービスの需要が急増し、これに対応するために人員を増やした結果、21年末には160万人とほぼ倍増していました。22年から23年にかけての大規模なレイオフは、こうして膨れ上がった人員を整理し、アマゾンをスリム化するために必要な措置なのでしょう。

メタでは22年11月に、従業員の13%に相当する1万1千人の削減を実施し、さらに年が明けた1月にも新たに1万人を削減すると発表。この2回の削減で、なんと2万人以上もの解雇となる見通しです（表1-3）。

従業員の解雇は、もちろん業績が低下してきたからという理由だけではありません。コ

■表1-3　米大手テックの主なレイオフ

企　業	削減人数	概　要
アマゾン	2万7,000人	ネット通販部門、スマートスピーカー部門などで全従業員の1％強を削減
グーグル	1万2,000人	創業以来最大の規模で、グループ社員の約６％を削減
メタ	2万2,000人	SNS部門で全体の25％相当を削減
マイクロソフト	１万人	世界各地で全体の５％弱を削減
アップル	—	2020年に請負の採用担当者100人を解雇

ロナ特需によって、多くのテック企業が過剰な設備投資を行い、従業員を増やしてきましたが、コロナブーメラン効果とアメリカでの人件費の高騰、さらにドル高や広告費の減少などで、**増やし過ぎた従業員を削減する必要が出てきた**のです。

グーグルの親会社であるアルファベットのCEOサンダー・ピチャイは、解雇につながる不手際について、「過去2年間、我々は劇的な成長を遂げ、その成長に合わせて人材を採用してきたが、この決断（大幅な人員削減）はすべて私が全責任を負っている」とその不手際を公式に説明しています。

メタもまた、マーク・ザッカーバーグCEOが「マクロ経済の悪化や競争の激化などにより、収益が予想していたよりもはるかに少なくなる。

これは私の失敗で、その責任を取る」と従業員宛てのメモで人員削減の理由を述べています。

ザッカーバーグはまた、「成長を楽観視して拡大し過ぎた」とも述べており、コロナ禍での安易な拡大が過剰で、そのためにコロナブーメラン効果によって人員整理を余儀なくされているのです。これはメタに限らず、多くのテック企業が直面している問題です。

ビッグ・テックを中心に、22年にはテック企業の解雇人数は、前年に比べ13倍にも膨れ上がっています。

ただし、それが悪いことだとは一概にはいえません。というのも、解雇された技術者の実に80%以上が3カ月以内に再就職しており、給与水準も解雇前とほとんど変わらない、という調査結果（米人材サービス会社ジップリクルーター調べ）も出ているからです。

これらの技術者が、新たなスタートアップ企業や異業種に再就職、あるいは起業することで、ビッグ・テックとはまた異なる新しいテクノロジー分野が開拓されていきます。実際、従来のビッグ・テックとは異なる分野、たとえばＡＩやメタバース（仮想空間）といった新しい分野が台頭しつつあり、新たなプラットフォーム作りも進行しています。

テック業界で人材が循環すれば、次世代の新しいイノベーションが開拓され、広がっていく可能性も高いのです。

テクノロジーを現実に展開する時代に

23年にラスベガスで開催されたCES 2023では、「コロナブーメラン効果」という言葉をあちこちでよく耳にしたと本章の冒頭で述べました。テック業界の23年幕開けを象徴する言葉ですが、このCESには開催された年によって、それぞれ大きなテーマが見えてきます。

たとえば、5年前の18年に開催されたCES 2018は、「**つながる時代**」を現していました。

この年のCESには、グーグルが初めて参加しています。前年のCES 2017ではアマゾンがアレクサ（Amazon Alexa）を発表し、ガジェットや家電、自動車などあらゆるモノと連携していましたが、CES 2018ではグーグルがグーグル・アシスタント（Google Assistant）を発表し、音声対話による家電の制御を披露しています。家電や自動車、あるいは家（スマートホーム）などの制御も視野に、まさにモノとモノが「つながる時代」を体現してみせたのです。

翌19年のCES 2019は、世界150カ国から18万人、スタートアップも1200

社以上が参加し、デジタルそのものから「**データの時代**」への突入を示唆していました。主役は5Gと自動運転。AIやビッグデータを駆使したサービスなどが各社から発表され、データの価値や活用方法、さらにそのエコシステムの未来を提言しています。

20年のCESで大きなテーマとなったのは、「**データとプライバシー両立の時代**」です。このCESで最も注目を集めたのが、初日に行われた「チーフプライバシーオフィサー・ラウンドテーブル：消費者は何を求めているのか？（What Do Consumers Want?）」というパネルディスカッションでした。アップルとフェイスブックのチーフプライバシーオフィサー（CPO）、それに連邦取引委員会（FTC）のコミッショナーなどが登壇し、ユーザーなどから収集した膨大な個人データをどう扱うかといった問題の講演が行われました。

ちょうどフェイスブックが個人データ流出事件の渦中にあり、プライバシー保護への対応強化を打ち出すなど、この頃からデータとプライバシーをどう両立させていくかという課題に、ビッグ・テックも否応なく取り組まざるを得ない状況になってきました。

21年のCESは、2020年初頭から始まったコロナ禍で開催が危ぶまれましたが、完全オンライン化することで開催されました。参加企業は約1700社。前年の4400社と比較すると大きく減っていますが、その分各社とも工夫を凝らしていました。

コロナ禍は、テック企業にとってはテクノロジーを進化させるチャンスで、ズーム（ZOOM）に代表されるウェブ会議システムがいくつも出現しています。グーグルのグーグルミート（Google Meet）、マイクロソフトのチームズ（Teams）、フェイスブックのメッセンジャー・ルーム（Messenger Rooms）など、ビッグ・テックもこぞってウェブ会議システム、あるいはリモートワークソフトなどを広めています。

さらにリモートワークのために、パソコンや周辺機器の売れ行きも良く、まさにコロナ特需とも呼べる状態で、従業員の増員、新たな設備投資などへとつながっていきます。

22年のCES 2022は、**サステナビリティ**が注目されました。コロナ禍が続いたため、オンラインとリアルとが半々というハイブリッド開催のCESでしたが、Transportation、Space Tech、Sustainability Technology、Digital Healthの4つの領域が特に注目されています。

Transportationでは電気自動車、マイクロモビリティソリューションが、Space Techでは宇宙探査や宇宙旅行など、宇宙での活動で利用されるテクノロジー全般をテーマとしています。

Sustainability Technologyというのは代替エネルギーやスマートシティ、スマートホーム、それにフードテックなどの分野の出展でしたが、この年のCESでは特にサステナビリティ、つまり持続可能性を意識した内容が非常に多く出展されていました。
最後のDigital Healthは、文字通りデジタルヘルスで、ウェアラブル、メンタルアウェアネスといった分野です。この分野の展示はいつも多いのですが、22年のCESでは417社もの展示がありました。
そしてCES 2023。CESは3〜5年後の未来を見据えた技術や製品の展示が多いのですが、23年のCESでは現在進行形のものを展示する企業が増え、テクノロジーを現実に展開する時代の幕開けを感じさせられました。
キーとなるのは、Enterprise Tech Innovation、Metaverse/Web3、Transportation/Mobility、Health Technology、Sustainability、Gaming and Servicesの6つですが、この中でも特に**メタバースとウェブ3、モビリティの3点が目玉**です。
CES 2023を見る限り、この3つにAIを加えた4つの分野を、特に現在進行系の技術や製品として注視しておく必要があるでしょう。

テックの目玉になったモビリティ

CES 2023のテーマのひとつに、**モビリティ**がありました。モビリティとは、もちろん移動を意味するもので、ＣＥＳではモビリティ企業、つまり自動車メーカーからの出展なども目立ちました。

モビリティとはいっても、単に自動車だけではありません。自動車を構成している部品やその部品のサプライチェーン（供給網）、さらに現在自動車メーカーが直面しているＥＶ車や自動運転、ＥＶ車を動かすための電気、それを充電するスタンドや蓄電池といったものも、モビリティ関連の製品です。

実際にＣＥＳ ２０２３の会場を見て回ったところ、さながら自動車の展示会かと見まごうほどでした。今回話題になっていたのは、次世代モビリティの概念として使われている**SDV**（Software Defined Vehicle）という言葉でした。

ＳＤＶとは、ソフトウェアによって自動車の機能をアップデートすることを前提として設計・開発された自動車のことで、対応する自動車を購入すれば、その後もソフトウェアのアップデートによって、常に新しい機能やサービスが利用できるようになります。

このＳＤＶが今後主流になっていくとすれば、自動車にとって重要なのは、ハードウェアとしての車体やエンジンではなく、それらを統括し、動かすためのソフトウェアということになります。

つまり、**自動車メーカーはハードウェアとしての自動車を作るのではなく、それを動か**

すためのソフトウェアを開発し、そのソフトウェアで動く自動車を設計・開発していく必要に迫られているのです。

今回のCESでは、メルセデス・ベンツが自社ブースで発表会を行い、23年から全米でEVバッテリーステーションを展開することを発表していました。このEVステーションは、現在のガソリンスタンドのようなものにコンビニを完備し、次世代地域コミュニティを目指したようなものになるようです。

さらに、自動運転によって運転から解放されたドライバーが、レベル3の世界でどのように過ごすかを具体的に提示してもいました。

モビリティの中心である自動車は、ハードからソフトへと転換しようとしていますが、それは言い換えればある面で**テック企業への転身**と捉えることもできます。そしてこの自動車メーカーのテック化で最先端を走っているのが、世界中でEV車を製造・販売しているテスラなのです。

第7章でテスラについて詳しく説明しますが、テスラはモビリティ企業でありながら、ビッグ・テックにも迫るほどのテック企業でもあります。EV車を軸に、クリーンエネルギーを作り、使い、蓄えるという、まさにクリーンエネルギーのエコシステムを作り上げた企業です。

そこで本書では、ビッグ・テックと呼ばれるGAFAM5社と、この5社に迫ろうとする勢いのあるテスラの計6社を取り上げ、各社がどの分野でどのように取り組み、どう進展していこうとしているのか、その戦略を詳しく見ていくことにします。

第2章

グーグルの
検索ナンバーワンの
時代は終焉か？

GAFAM
+
Tesla

広告に依存するグーグルの危うさ

インターネットを利用するとき、多くの人が利用しているのが検索サービスや無料の電子メールサービスでしょう。この毎日利用している検索サービスや電子メールでは、多くのユーザーがグーグルが提供しているサービスを利用しているのではないでしょうか。

あるいはスマホ。スマホには、アップルから発売されているアイフォーン（iPhone）のほか、アンドロイド（Android）というOSを搭載したスマホと、その他のOSを搭載するものとがありますが、このアンドロイドというOSもまた、グーグルが開発したモバイル用のオペレーティングシステムであり、アンドロイドOSのスマホを利用するためには、グーグルが提供しているGメール（Gmail）がほぼ必須となっています。

自分はアイフォーンを利用しているから、アンドロイドやグーグルはあまり使わない、と思っている人もいるでしょうが、世界で利用されているスマホのシェアを比較すると、アイフォーンが27・1％であるのに対し、アンドロイドが72・27％となっています（図2−1）。その他のOSのものはごくわずかで、全体の7割以上がグーグルが提供するアンドロイドスマホとなっているのです。

■図2-1　世界と日本、アメリカのスマホのOS別シェア（%）

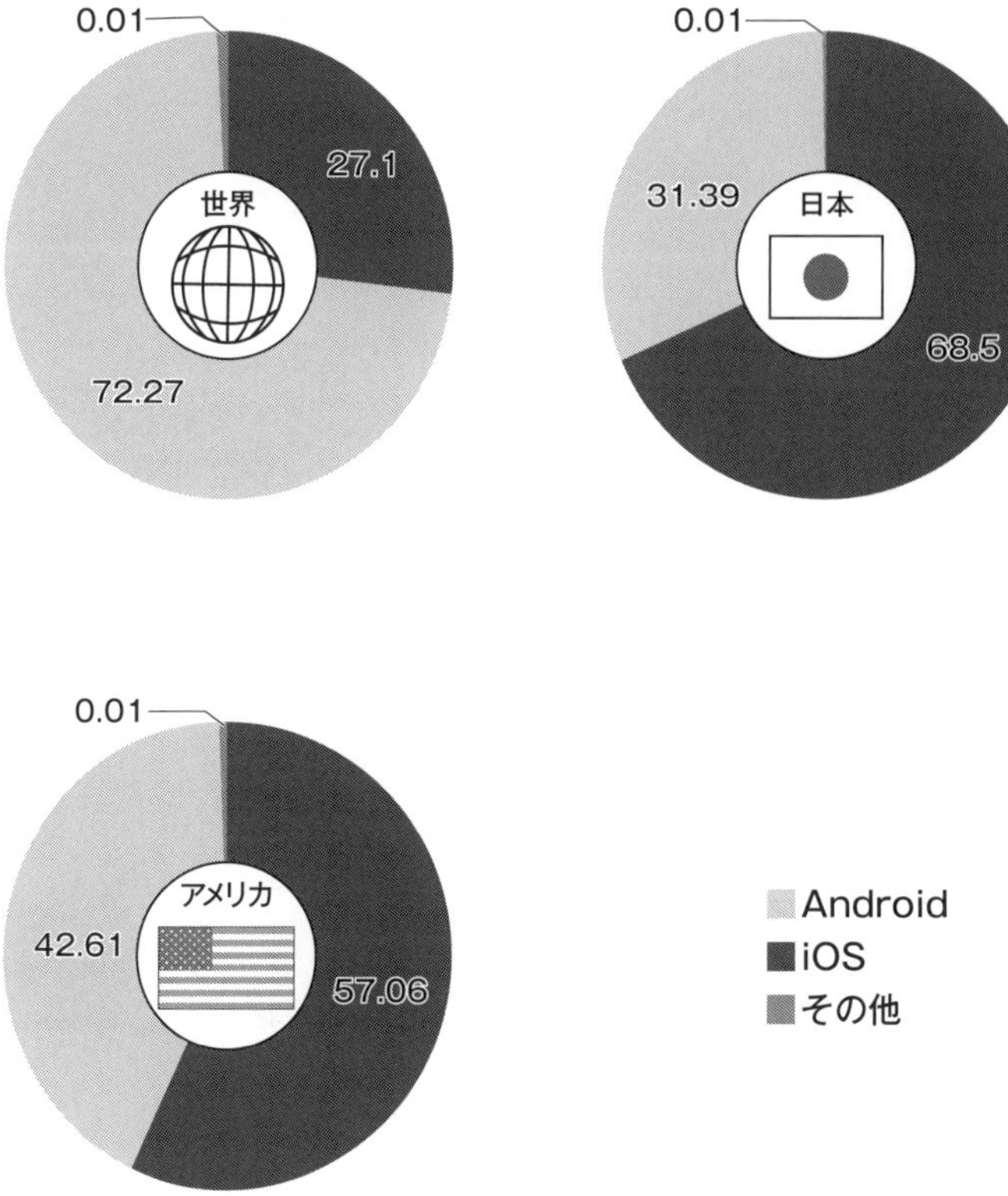

出所：StatCounterより作成

もっとも、アメリカと日本だけは例外で、アメリカではアンドロイドが42・61％、アップルが57・06％とほぼ二分。日本はもっと極端で、アンドロイドが31・39％、アップルが68・5％と、世界とは真逆の結果になっています。

世界のスマホで最も利用されているアンドロイド、言い換えれば**世界で最も利用されているスマホ用OSこそ、グーグルが開発・配布しているアンドロイドなのです**。

ただし、もともとアンドロイドはアンドロイド社が開発したもので、これを２００５年にグーグルが買収し、07年にグーグルが中心となって米クアルコムと、キャリア大手のTーモバイルなどと規格団体を設立して、スマホ用OSとして発表したものです。そのため、アンドロイドそのものはオープンソースソフトウェア（著作権の一部が放棄されたソフトウェア）として以後、開発・配布されています。

グーグルは、ときどきこのような企業買収を行うことで成長してきました。たとえばユーチューブ（YouTube）。今でこそ動画投稿サイトといえば、真っ先に思い浮かぶのがユーチューブですが、このユーチューブは05年にスタートアップ企業として設立された小さな会社でした。これを06年にグーグルが買収し、以後、グーグル傘下の動画投稿プラットフォームとして、現在約25億人を超すユーザーを集めています。

検索サービスから電子メール、あるいはスマホのOSやスマホそのもの、ユーチューブ、

■表2-1　グーグルの10〜12月期の売上高の内訳（百万ドル）

	2021年（10〜12月期）	2022年（10〜12月期）
検索と他の広告	43,301	42,604
ユーチューブ広告	8,633	7,963
ネットワーク	9,305	8,475
その他のサービス	8,161	8,796
合計	69,400	67,838

出所：Alphabet Announces Fourth Quarter and Fiscal Year 2022 Resultsより

オンラインストレージ、さらに電子書籍やビデオなどのコンテンツ販売など、グーグルが運営している業務や提供しているサービスは、実に多岐にわたっています。しかし、グーグルの屋台骨、つまり**メインとなる売上は広告事業**です。このことは、毎年発表される同社のポートフォリオからも確認できます。

表2-1を見るとわかるように、グーグルの売上で最も大きな割合を占めているのは、検索サービスで表示される広告です。ユーチューブで表示される広告や他のネットワークサービスで表示される広告なども含めると、2022年10〜12月期で見ると全体の78%が広告売上で占められています。

表では22年末の数値に加えて21年の数値も記載していますが、**広告売上が全体の売上高に占める割合は、わずかに下降しています。**これはコロナ禍による景気の減速で、企業のインターネット広告の予算が減ってきたためと考えられます。

まったく同じように、検索だけでなくユーチューブの広告収入も、やはり減っています。

売上全体の中で、8割近くを広告収入に依存しているグーグルは、景気が減速すればその影響をもろに受けるリスクがあるのです。実際、2022年のアルファベットの売上高の前年比伸び率は、近年の高い伸びとは対照的に9・8%にとどまっています。

対話型AI「バード」を一般公開へ、チャットGPTに対抗

グーグルといえば検索サービスを提供している企業のことだと思っているユーザーも少なくありません。実際、インターネットで何かを検索することを「ググる」と表現することもあります。最新版の英語辞典『ウェブスター辞典』にも、「Google」という見出しがあり、「グーグルの検索エンジンを使って、インターネットから情報を入手することを意味する他動詞」と定義されているほどです。

この検索エンジンで検索を行うと、検索結果とともに広告が表示されます。**この広告こそが、グーグルの大きな収入源のひとつなのです。**

インターネット内の検索には、グーグルの他に、マイクロソフトのビング、ダックダックゴー（DuckDuckGo）、最近ではツイッター（Twitter）やインスタグラム（Instagram）、

ティックトック（TikTok）などのＳＮＳをグーグルの代わりに検索で利用するユーザーも増えています。

ところが、**チャットＧＰＴの出現**によってこの分野が現在激変しようとしています。

チャットＧＰＴというのは、人工知能型チャットボット、つまりユーザーの質問にＡＩを駆使して自動的に答えを返してくれる自動応答機能・サービスのことです。あるいは、「対話型ＡＩ」などとも呼ばれています。

チャットＧＰＴそのものは、22年11月にオープンＡＩ（OpenAI）がサービスを開始したものです。以後、わずか１週間でアクティブユーザー数が１００万人を突破し、その後２カ月で月間アクティブユーザー数が１億人を突破するという、驚異的なブームを巻き起こしています。

実は、マイクロソフトが提供している検索サービスのビングは、23年２月になってこのチャットＧＰＴをビングに盛り込み、「新しいビング」としてサービスを開始したのです。新しいビングは、マイクロソフトのウェブブラウザ・エッジ（Edge）でのみ利用でき、検索を行うと、通常の検索結果とともにチャットＧＰＴを利用した自動応答が表示されるようになっています。チャットＧＰＴを利用しなくても、ビングだけで検索もＡＩを利用した対話も、両方が利用できるのです。

対話型ＡＩを搭載した新しいビングの登場で、検索はもうすべてビングで済ませてしまう、といったユーザーさえ出てきています。チャットＧＰＴについては、第６章で詳しく解説しますが、ビングがこの対話型ＡＩを搭載したことで、グーグルに大きな変化が出てきています。

ネット検索の分野では、これまでグーグルが圧倒的なシェアを握っていました。インターネット上のさまざまなウェブトラフィックの解析を行っているスタットカウンター（StatCounter）によれば、23年３月現在、検索エンジンのシェアはグーグルが全体の93・３％と圧倒的で、続いてビングの２・81％、バイドゥ（Baidu）の０・45％となっています（図２-２）。

ところが新しいビングの登場で、**グーグルの独壇場が侵されようとしている**のです。新しいビングはまだ出たばかりで、その伸びはまだ数字に表れてきてはいませんが、ゆくゆくはグーグルの後塵を拝していたビングが、グーグルのシェアを奪い始めることも予想できるのです。

もちろん、グーグルも手をこまねいているわけではありません。23年３月末、グーグルは会話型ＡＩサービス「**バード**（Bard、吟遊詩人という意味）」をアメリカ、イギリスで一般公開しました。かねてより噂されていたサービスで、グーグル検索と連動する機能や

■図2-2　検索エンジンのシェア（%）

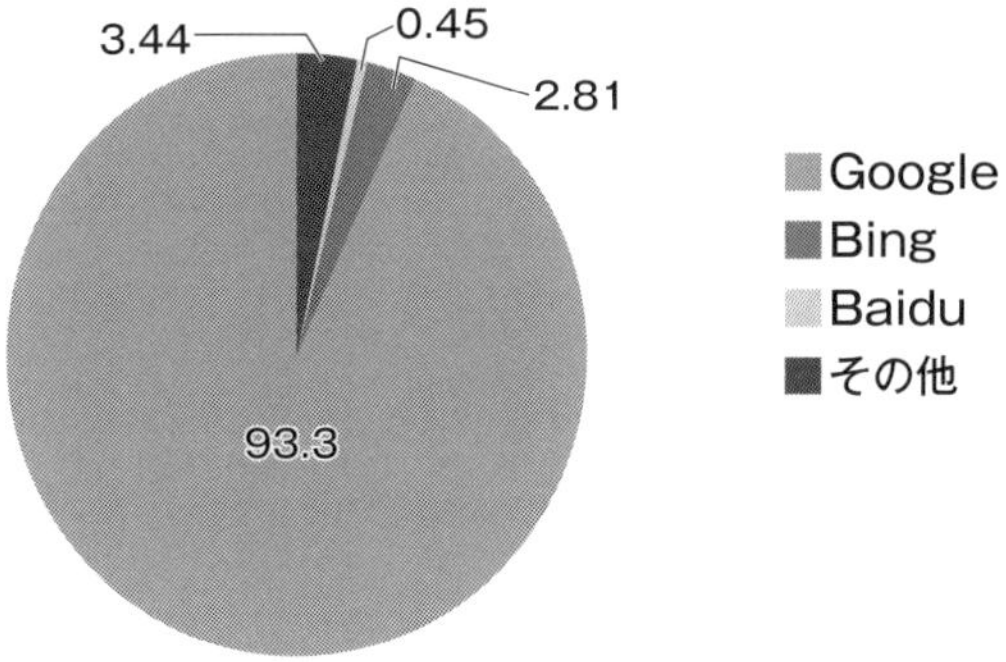

出所：StatCounterより作成

複数の回答候補を表示してくれます（図2-3）。さらに5月の「グーグルI／O」で、日本語を含む40超の言語で提供すると発表。直後から日本語でもバードが利用できるようになりました。

実はグーグルがかねてより噂されていたバードをなかなか公開しなかったのには、大きな理由が考えられます。チャットGPTや新しいビングを利用したことがある人ならわかると思いますが、検索窓に質問や要望などを入力すると、チャットGPTならデータベースを検索して、それに適する回答を表示してくれます。あるいは新しいビングでは、チャットGPTのデータベースとともにネット上の情報を検索し、やはりユーザーの質問に最適な回答を表示してくれます。対話型AIだけに、回答の上にさらに質問の候補も表示され、この質問を次々とクリックしていくだけで、かな

■図2-3　グーグルの「バード」の画面

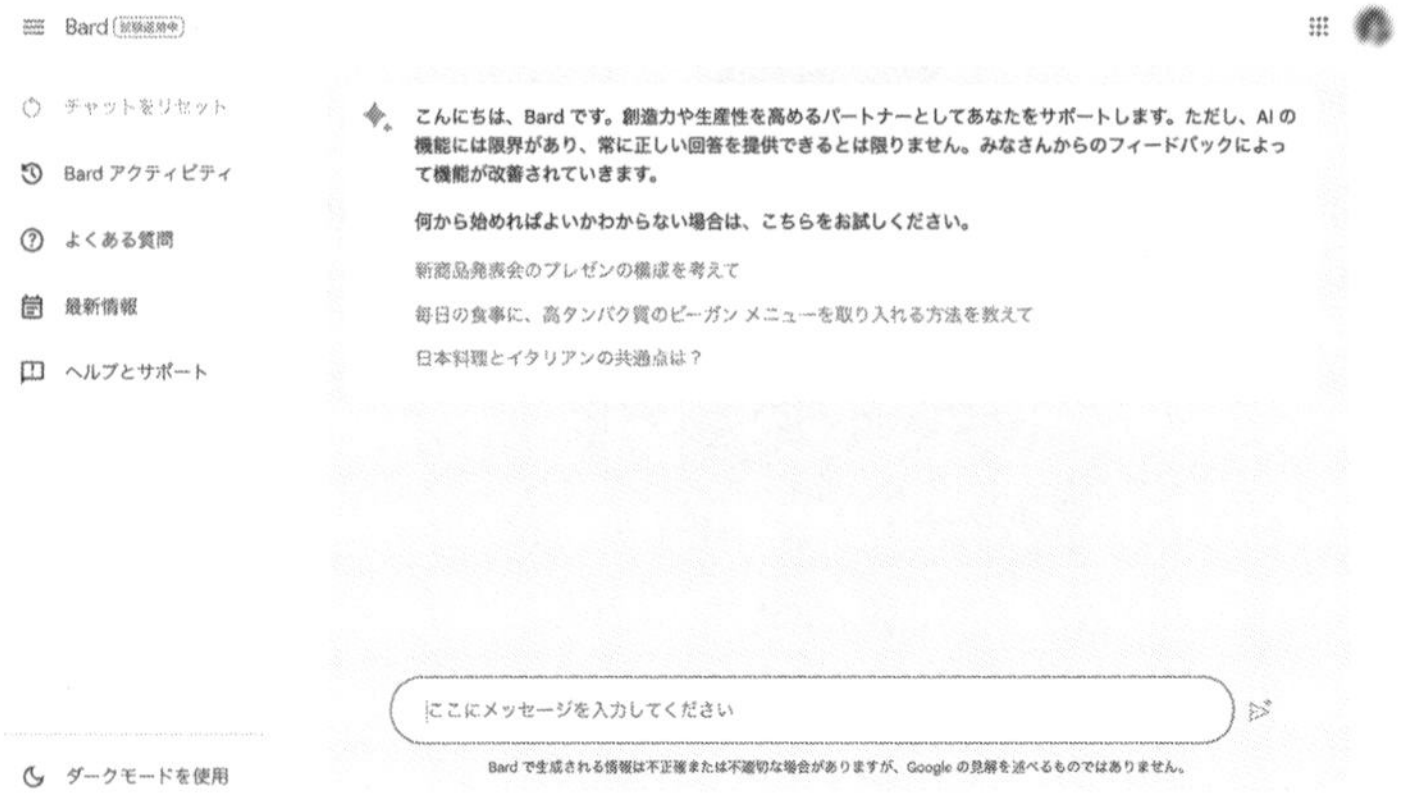

質問文などを文章で指定すると、自然な文章で回答してくれる

り的確な回答が得られてしまいます。

グーグル検索上に、同じような対話型AIを搭載したらどうでしょう。これまでは検索を行い、ヒットしたサイトや広告をクリックすることで、ユーザーは適するサイトを訪れることができました。ところが対話型AIでは、ユーザーは広告をクリックしなくても回答が得られてしまうのです。

広告収入に依存しているグーグルは、これでは屋台骨の広告収入に大きな影響が出てきます。だからこそ、検索に対話型AIを導入することをためらったのではないでしょうか。しかし、チャットGPTや新しいビングの動きからか、あるいはAI時代の到来を見据えたのか、グーグルも早々に対話型AIバードの導入に踏み切ったのでしょう。

わずかな遅れが、先行者利益を逃すことは、グーグルも百も承知のはずです。グーグルならこの問題を何とか解決し、対話型ＡＩをうまく駆使した新しい検索サービスを提供してくれるのではないでしょうか。

世界中の情報の検索からＡＩへ

グーグルが始めたバードは、前述のようにチャットＧＰＴやマイクロソフトの新しいビングに対抗する人工知能チャットボット、あるいは対話型ＡＩです。ビングはチャットＧＰＴを検索に取り入れているため、いってしまえばチャットＧＰＴと同じです。

ところがグーグルのバードは、グーグルが独自開発したＡＩチャット機能です。グーグルによれば、このサービスにはグーグルが開発している大規模言語モデル「ラムダ（LaMDA）」が活用されているそうです。さらに新たな言語モデル「パーム２（PaLM 2）」も発表。これは１００以上の言語に対応し、25の製品に搭載されるそうで、バードもパーム２に移行するようです。

グーグルという企業は、もともとスタンフォード大学の博士課程に在籍していたラリー・

ペイジとセルゲイ・ブリンが、１９９８年に米カリフォルニア州メンロパークで設立した会社です。２人が開発した検索エンジン「バックラブ（BackRub）」に、米サン・マイクロシステムズ社（その後オラクルに買収）の共同創業者であるアンディ・ベクトルシャイムが惚れ込み、10万ドルの資金援助を受けて創業しました。

その当時の検索エンジンでは、やはりスタンフォード大学の学生だったジェリー・ヤンとデビッド・ファイロによって、94年に創業されたヤフー（Yahoo!）や、アルタビスタ（AltaVista）に人気がありました。グーグルはここに彗星のごとく現れたのですが、その検索結果の高速性で、瞬く間に人気ナンバーワンの検索エンジンになりました。テキスト検索だけでなく、画像検索や地図検索、あるいはアドワーズ（AdWords）という広告サービスなど、検索に関連するさまざまなサービスを矢継ぎ早に提供し、わずかな期間でネット企業の中でも突出した存在感を示すようになりました。

グーグルの経営理念には、「世界中の情報を整理し、世界中の人々がアクセスできて使えるようにすること」という言葉が入っていますが、その理念通り04年には地図の検索が行えるグーグルマップをスタート。07年にはストリートビューも公開し、主要都市ならまるで歩いているかのように街の風景を閲覧できるようにしました。

06年には動画共有サイトのユーチューブを買収し、グーグル・アップスの提供も開始しました。グーグル・アップスはグーグルが提供しているサービス、たとえばGメールやカレンダー、ドキュメントといったアプリケーションを、独自ドメインで利用できるようにしたもので、グーグルが提供する本格的なクラウドサービスともいえるものです。

本業の検索サービスでは、05年から「パーソナライズド検索」をスタートさせています。これは、検索結果をユーザーに合わせてカスタマイズして自動表示する機能ですが、実はこの機能によってユーザーが過去に調べた検索ワードや、閲覧したサイト、クリックしたリンク、ユーザーの所在地といったデータをグーグルが取得して蓄積することが可能になったのです。

この時点で、グーグルは世界中のユーザーの膨大なデータ、ビッグデータを取得・蓄積でき、これらをＡＩが解析することで、最適化の精度をどんどん上昇させていったのです。16年4月、グーグルは「**モバイルファーストからAIファーストへ**」とその経営方針を変更しています。スマホをメインとしたモバイル重視から、ＡＩを重視するよう修正したのです。

こうして始まったのが、音声認識ＡＩアシスタント「グーグル・アシスタント」を搭載したスマートスピーカー「グーグルホーム（Google Home）」です。実は、グーグルは早くからＡＩの開発と活用に取り組んでおり、世界中から優秀な研究者を好条件で集めた「グーグル・ブレイン」という世界トップクラスの研究組織を持っています。これらの組織や研究によって、グーグルはAI分野では世界トップの企業でもあるのです。

本業の検索サービスにも、もちろんこのAI技術が駆使されることは十分に予測されます。それが「バード」と結びついているのでしょう。

AI技術については、自動運転に不可欠な技術であり、グーグルの持つ膨大な地図情報も、やはり自動運転に不可欠なデータのため、グーグルはこれらの点でもGAFAMの中で頭ひとつ飛び抜けていると考えてもいいでしょう。

米司法省、グーグルを提訴　広告事業の一部分離を要求

「出る杭は打たれる」というのは世の常ですが、創業時から圧倒的な速度を誇った検索エンジンや、グーグル・アップスのような本格的なクラウドサービス、そしてアドワーズという広告サービスなど、よくも悪くもグーグルは誕生時からテック業界の中でも〝出る杭〟でした。

その出る杭が打たれたのが、23年1月のアメリカ司法省による提訴でしょう。米司法省は、グーグルがデジタル広告で支配力を乱用し、反トラスト法に抵触していると提訴した

のです。さらに、同社の広告管理プラットフォームの一部を売却するよう命じています。反トラスト法というのは、日本でいえば独占禁止法にあたるもので、グーグルがデジタル広告分野で独占的な営業をしている可能性があるため、ネット広告の一部を切り離せ、というのです。

グーグルの利益の根幹は、広告事業でした。この提訴による裁判の行方によっては、同社のビジネスモデルの根幹をも揺るがす事態になりかねません。

あまりに杭が出過ぎたから狙い撃ちされた、といったら言い過ぎかもしれませんが、実はグーグルに限らずGAFAMは、**その利益やユーザー数、蓄積されているデータ量などによって、世界中でさまざまな問題を引き起こしています**。

グーグルが訴えられたのはこれが初めてではなく、20年にも独占禁止法違反の疑いがあるとして司法省から提訴されています。このとき問題になったのは、アップルの標準ブラウザであるサファリ（Safari）のデフォルト検索エンジンに、グーグルを設定するよう多額の資金を支払ったというものです。

グーグルが訴えられたのは、米国内だけではありません。19年には欧州連合（EU）から5千万ユーロの罰金を科せられています。これは、EUの**一般データ保護規制（GDPR）に違反したため**です。

EUのGDPR（General Data Protection Regulation）というのは、「欧州一般データ保護規則」という規制で、EU加盟28カ国とノルウェー、アイスランド、リヒテンシュタインの3カ国を含む欧州経済領域で18年に施行された規制です（表2-2）。EU内のすべての個人情報のデータ保護を強化し、EU外への個人情報の輸出を規制しています。21年7月には、アマゾンもこのGDPRに違反したとして、当時の日本円に換算すると約970億円もの罰金を科せられています。

GDPRの規制は、施行当初からGAFAMのような巨大IT企業を狙い撃ちしたものだと、まことしやかにささやかれていました。考えるまでもなくビッグ・テック、あるいはGAFAMは、いずれもアメリカでスタートした企業であり、米国内にとどまることなくグローバル化しました。その結果、世界中からユーザーを獲得し、全世界をマーケットとして利益を上げています。

GAFAMの中に、あるいはビッグ・テックの中に、EU発祥の企業が1社でも入っていれば、GDPRももう少し穏やかなものになっていたかもしれません。本来自分たちが得られるはずのユーザー情報や利益が、アメリカ発祥の企業に根こそぎ持っていかれているという現状に、大きな危機感を持ったのでしょう。

ちなみに、22年11月には大手システムインテグレーション企業のNTTデータのスペイ

■表2-2　GDPRの基礎的概念

概　念	説　明	例
個人データ	識別された、または識別され得る自然人（「データ主体」）に関するすべての情報	・自然人の氏名 ・識別番号 ・メールアドレス ・オンライン識別子（IPアドレス、クッキー識別子） ・身体的、生理学的、遺伝子的、精神的、経済的、文化的、社会的固有性に関する要因
処理	自動的な手段であるか否かに関わらず、個人データ、または個人データの集合に対して行われる、あらゆる単一の作業、または一連の作業	・クレジットカード情報の保存 ・メールアドレスの収集 ・顧客の連絡先詳細の変更 ・顧客の氏名の開示 ・上司の従業員業務評価の閲覧 ・データ主体のオンライン識別子の削除 ・全従業員の氏名や社内での職務、事業所の住所、写真を含むリストの作成
移転	GDPRに定義なし。あえて定義すれば、EEA域外の第三国の第三者に対して個人データを閲覧可能にするためのあらゆる行為	・個人データを含んだ電子形式の文書を電子メールでEEA域外に送付することは「移転」に該当する

出典：日本貿易振興機構（ジェトロ）海外調査部欧州ロシアCIS課『「EU 一般データ保護規則（GDPR）」に関わる実務ハンドブック（入門編）』
URL：https://www.jetro.go.jp/ext_images/_Reports/01/dcfcebc8265a8943/20160084.pdf

ン子会社が、取引先の顧客情報漏えいに対する過失があったとして、GDPR違反で約6万4千ユーロ（約940万円）の制裁金が科せられています。

今回の米司法省によるグーグルの提訴は、その訴状を見るとバージニア州、カリフォルニア州、コロラド州など8つの州も加わっています。裁判によっては、今後のグーグルの活動にも影響が出てくるかもしれません。

生成AIでの覇権争いが始まった

グーグルと司法省との戦いは、今に始まったことではありません。長年、グーグルはさまざまな形で司法省や欧州委員会などと戦ってきました。ただし、今回の提訴では司法省とともに8つの州が加わっていることが、これまでの戦いとは異なっています。

さらに、マイクロソフトの「新しいビング」がチャットGPT機能を盛り込んだことや、本家のチャットGPTが大きな注目を集めていることも、グーグルの検索支配の行方に変化をもたらそうとしています。

チャットAIの登場は、検索エンジンにも大きな影響を与えます。

たとえば、寿司のおいしい店を探そうとするとき、これまでは地名や料理名などをキーワードとして検索を行っていました。ところが検索にチャットAIが組み込まれれば、「六本木でお手軽に食べられるうまい寿司屋を探して」と命じれば、あとは勝手にAIが店を選び、さらに予算に合わせたメニューを表示し、店までのルートまでも表示してくれるようになるでしょう。また、来店予定日も指定すれば、日時に沿って自動的に店に予約を入れてくれるようにもなるかもしれません。実際、そんなチャットAI用のプラグインが発表されています。

チャットAIは、文字によってAIと会話を行うものですが、実はすでに画像を作成したり音声で会話が楽しめたりするAIも出てきています。グーグルの検索では、キーワードを入力してサイトを検索する機能のほか、キーワードを指定して画像を検索したり、スマホなどの写真をアップロードして写真に写っているものの名前や人物を検索したりするといった機能もあります。

これらの機能にも、AIが対応してくれるようになるでしょう。すでにマイクロソフトでは「新しいビング」に続いて3月には「ビング・イメージ・クリエイター（Bing Image Creator）」のプレビュー版を公開しています（図2-4）。

ビング・イメージ・クリエイターを利用すれば、キーワードや説明などを入力するだけで、それらのキーワードに合った画像を作成し、表示してくれます。現在のところキーワードの指定は英語のみですが、いずれさまざまな言語での指定が可能になるでしょう。

これらのAIを、「生成AI（Generative AI）」と呼んでいますが、AIによって文章や画像、音声、プログラムコードといったさまざまなコンテンツを生成できるようになってきたのです。

さらに、マイクロソフトはワードやエクセル、パワーポイントなどにAIの「コパイロ

■ 図2-4　Bing Image Creatorを使って画像を生成した例

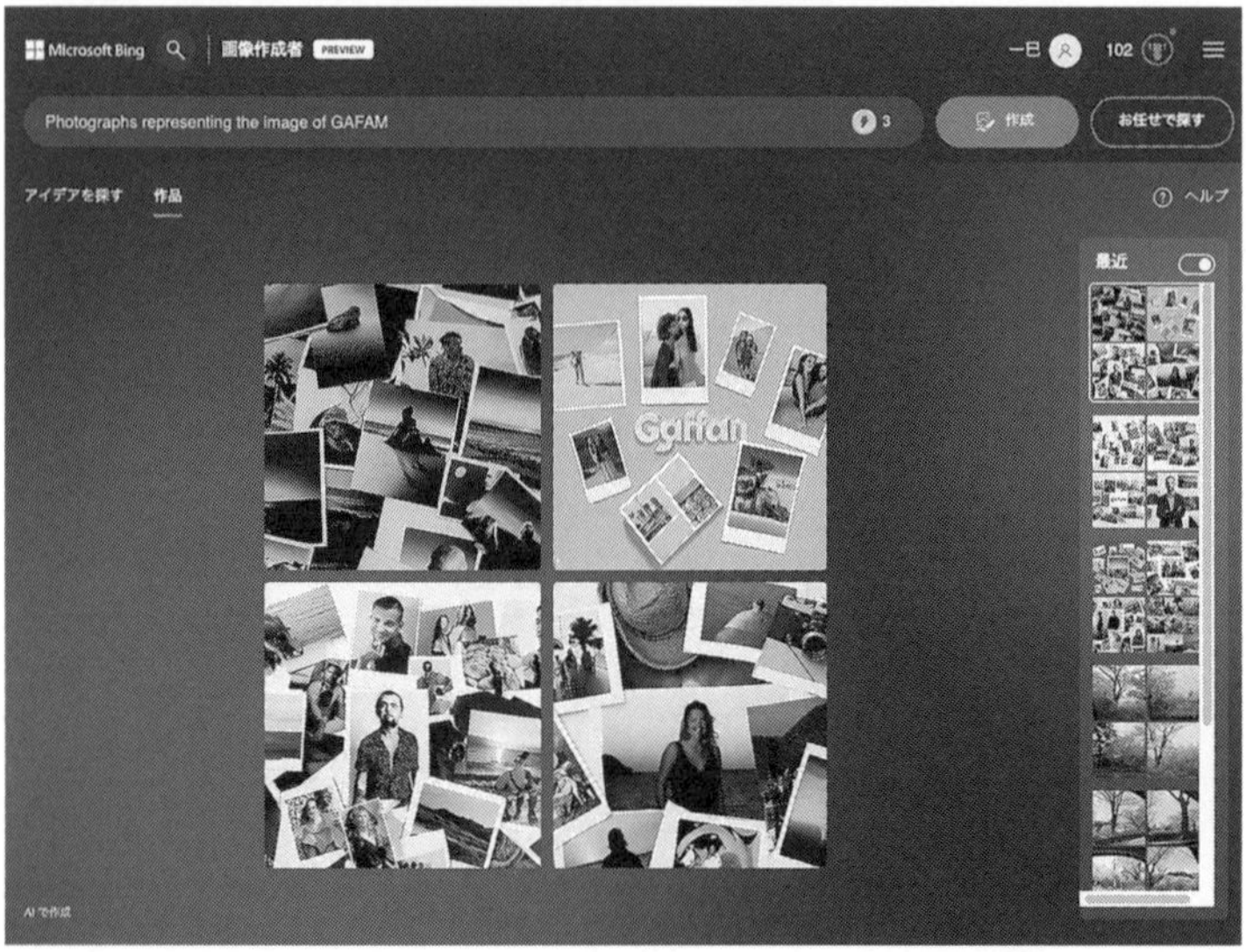

キーワードや説明などを入力するだけで、それらのキーワードに合った画像を作成してくれる

ット（Copilot、副操縦士）」を搭載することを発表しています。グーグルにも同じようにワードやエクセル、パワーポイントなどと互換性のあるグーグルドキュメントというサービスがあります。マイクロソフトがコパイロットを搭載するのに対抗し、グーグルではグーグルドキュメントやGメールにも生成ＡＩを搭載すると発表しています。

生成ＡＩはまだいくつかのサービスが始まったばかりです。**生成ＡＩのプラットフォームを握ろうと、マイクロソフトとグーグルとの熾烈な覇権争いがスタートして**

いるのです。このプラットフォームを握ることで、将来の検索エンジンのシェアも大きく変動し、検索エンジンがもたらす多大な広告利益のシェアにも影響が出てくるでしょう。

グーグルは、売上の8割近くを広告に依存するというビジネスモデルで、バードを含め生成AI関連サービスの収益化も広告に依存するしかない状況です。クラウドとオフィス製品という収益源を持つマイクロソフトと比較すると、グーグルは劣勢にあることは明白です。生成AIを含め、有料サービスとしてどこまで売上を伸ばせるかが、今後のグーグルの大きなポイントになります。既存サービスと生成AIとをどう組み合わせてくるのか、当分目が離せない状態です。

第3章

変曲点を迎えたアマゾン

GAFAM
+
Tesla

「3つのバケツ」が厳しい業績の背景に

かつて私は、『アマゾンが描く2022年の世界』（PHP研究所）と題した本を書いたことがあります。2017年末に刊行された同書の中で、アマゾンが描いている2022年の生活と、そのためのアマゾンの戦略について説明しました。

その後、アマゾン創業者であり、最高経営責任者（CEO）だったジェフ・ベゾスは、21年第3四半期に退任して取締役会長に就任してしまいました。だからといってアマゾンの経営方針が根本から変わるわけでもありませんが、当時のアマゾンが描く未来やそのための戦略というのは、そのままベゾスの描く未来であり、アマゾンの戦略でした。

けれども、どうやらアマゾンに大きな変化が起こりつつあるようなのです。ベゾスは長年「アマゾンに対しては営業利益や同利益率ではなく、中長期の成長やキャッシュフローを見てほしい」と言い続け、マーケットや投資家に対して成長への投資を優先することに理解を求めてきました。

ところが退任した翌22年3月、アマゾンは23年ぶりの株式分割を行い、自社株買いの限度額を現行の50億ドルから100億ドルに引き上げることも発表。ベゾスがCEOだった

■ 図3-1　アマゾンの売上高の推移

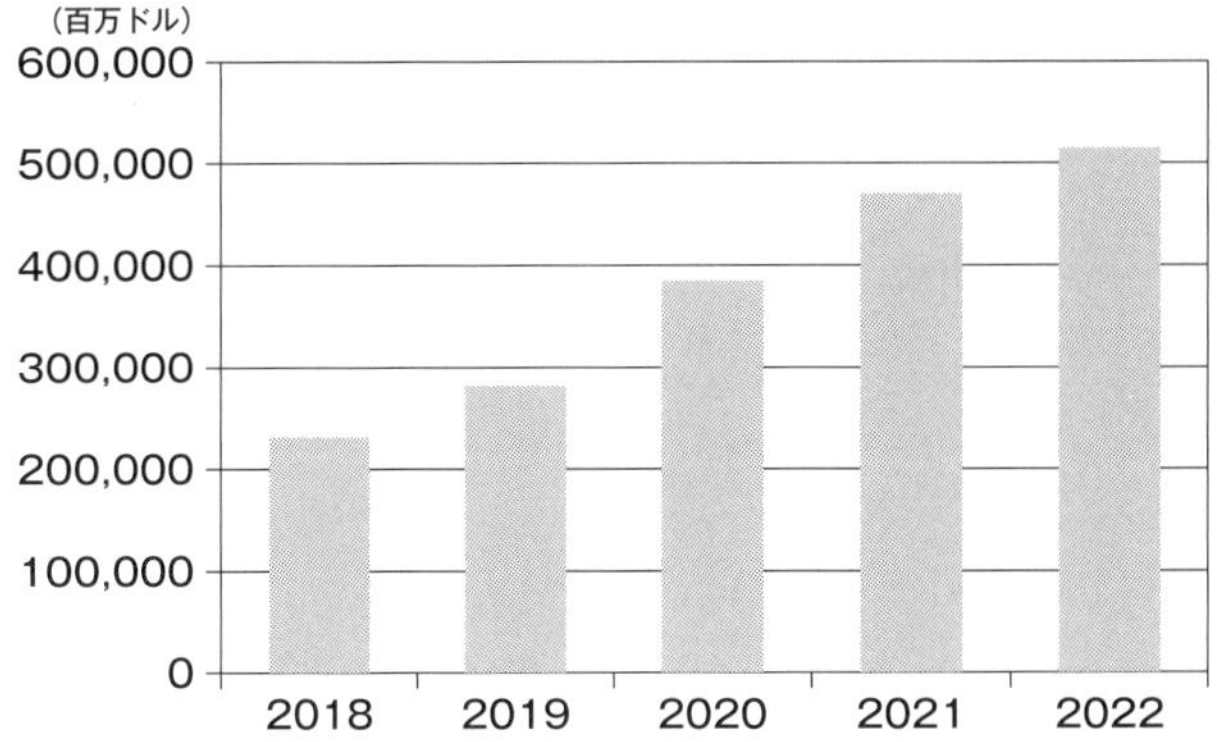

出所：アマゾンの収支報告書より作成

ら、絶対にやりたくなかった「株主対策」で、これはアマゾンが**これまでの「超成長企業」から「成長企業」になったことを示している**と分析できます。

偶然にも、株式分割を発表したその日（2022年3月9日）、米下院が「アマゾンの証言調書」を司法省に要請したというニュースも発表されました。長年同社をウォッチしてきた私には、アマゾンに大きな変化が起きていることを実感しました。

さらに20年初頭からは、新型コロナウイルスによって世界的なパンデミックが到来しました。そのコロナ禍はいまだに大きな影響を与えています。もちろん、アマゾンのようなビッグ・テック、しかもネット通販企業にとって**コロナ禍による外出制限は、利益拡大への追い風となっ**

ていました。コロナ特需です。それはアマゾンの売上にも見られます。

図3-1は2018年からのアマゾンの売上高の推移です。売上高が順調に伸びているように見えます。特に19年から20年にかけての伸びが急激で、コロナ特需がうかがえます。

ただし、売上高を地域・部門別に見ると、少し様相が異なってきます。アマゾンは収支報告書で北米での売上、その他の地域での売上、そしてAWS（Amazon Web Services）の売上の3つの数値を発表しています。それをグラフにしたのが図3-2です。

子細に見ないとわからないかもしれませんが、全体の売上高と比較して、北米以外の地域での売上やAWSの売上が鈍化、または北米以外では減少している年もあります。

実は21年から22年にかけて、**アマゾンの業績は数値やグラフに見られるほどは良くはないのです**。さらにいえば、**AWSの売上が伸び悩んでいます**。アマゾンは書籍のオンライン販売からスタートし、ファッションから家電、食品までも扱う大規模なオンラインショップで、ここから利益が生まれている、と思っている人は少なくありません。

ところが実際には、アマゾンはオンラインショップ以外にAWSというクラウドサービスも提供しており、実はこのAWSこそアマゾンのビジネスの柱なのです。

22年の年間売上高が過去最高の5139億8300万ドルだったのに対し、純利益はコストの上昇や投資先企業の株価下落などの影響を受け、約27億ドルの損失となっています

■図3-2　アマゾンの部門・地域別売上高の推移

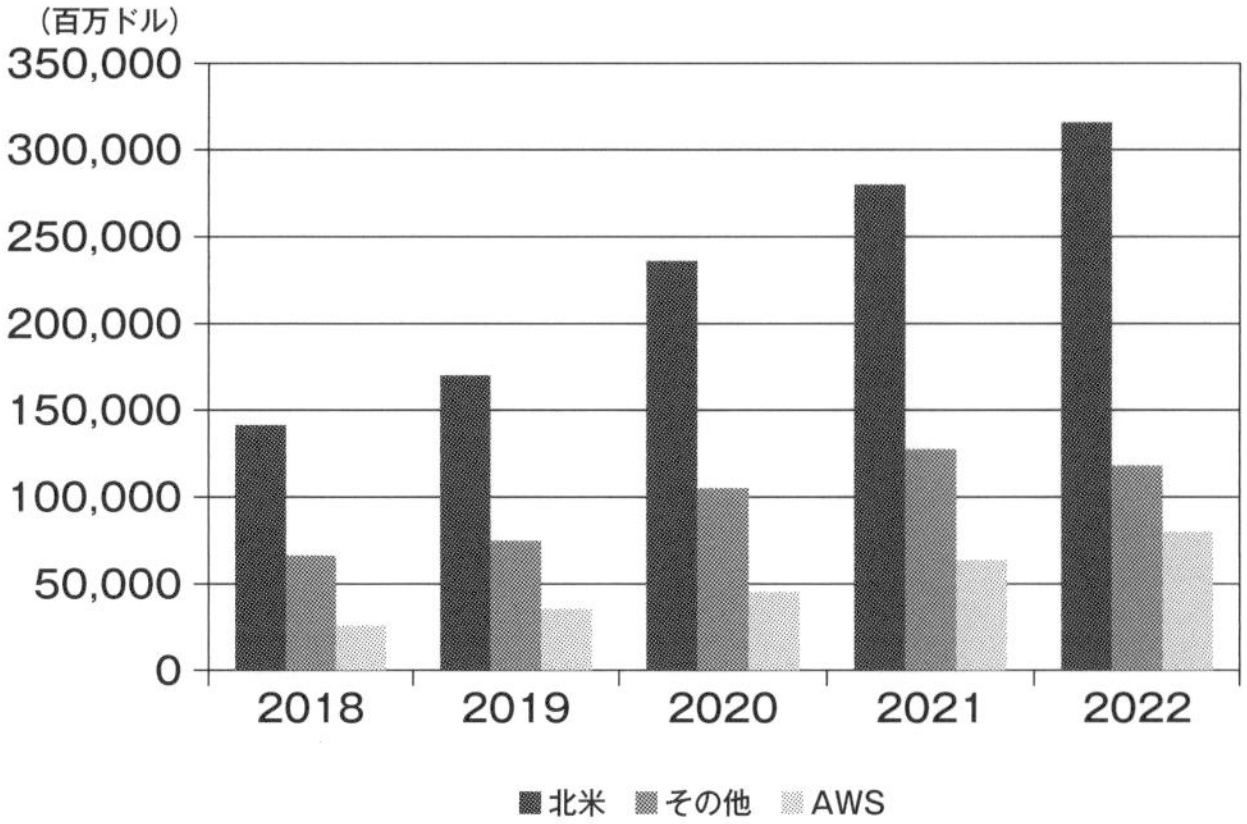

出所：アマゾンの収支報告書より作成

■図3-3　アマゾンの純利益の推移

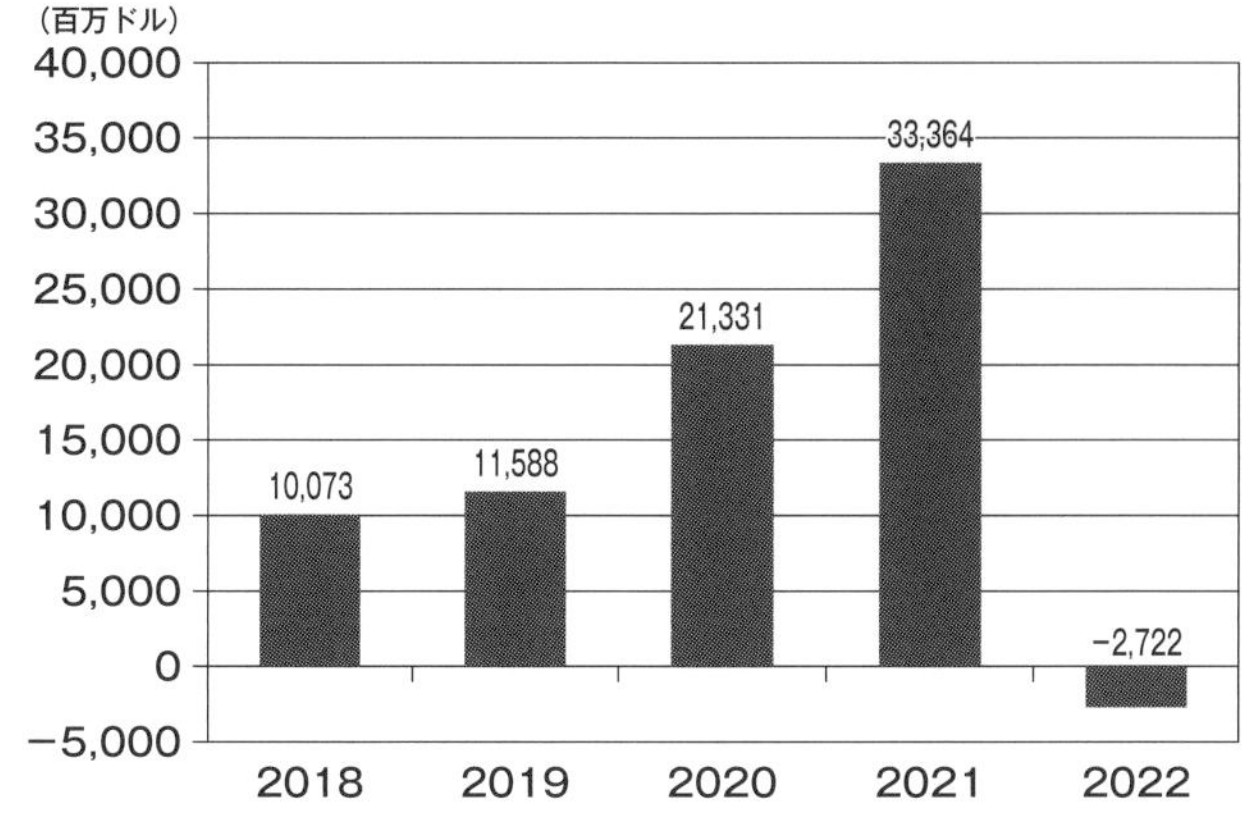

出所：アマゾンの収支報告書より作成

（図3－3）。この27億ドルの損失というのは、アマゾンの歴史の中でも2014年以来のものであり、しかも**過去最大の年間損失**なのです。

20年からコロナ禍により、アマゾンも需要増に対応するために物流施設を急拡大してきました。ところが22年後半から需要が減速し、その結果として施設の収容力に余剰が生じているのです。過剰キャパシティーです。さらに米国内の急激な物価高がさらなる悪影響を与えています。

アマゾンのブライアン・オルサブスキーCFO（最高財務責任者）は、22年に入ってからの厳しい業績の背景として、物価高、過剰キャパシティー、生産性低下という「3つのバケツ」が主要要因だと述べていますが、まさに**この「3つのバケツ」によって、アマゾンは現在厳しい状況に立たされている**のです。

フリーキャッシュフローが6四半期連続でマイナスに

今でこそアマゾンは、多くの人々の生活にとって必要不可欠な存在となっていますが、もともと創業した1994年当時は、本を販売するだけの小さなネット書店にすぎませんでした。それもネットでモノを売るなら、書籍が現実的ではないかと考えてのことです。

このとき1964年生まれのジェフ・ベゾスは、31歳。後に世界一の資産家になり、『フォーブス』の長者番付に載り、『ワシントン・ポスト』紙を買収してオーナーになり、なおかつ57歳にして宇宙旅行にまで行ってしまうなどと、誰が予想できたでしょうか。

94年にベゾスによって米ワシントン州で創業されたアマゾンは、97年にはナスダック（NASDAQ）に上場。翌98年には音楽販売のミュージックストアを開設し、2000年には航空宇宙企業の「ブルーオリジン（Blue Origin, LLC）」を設立しています。

もともと創業者のベゾスは、アマゾン創業時に〝何でもそろっている「エブリシング・ストア」〟という商店を構想していたといいますから、現在のアマゾンで取り扱っている多岐にわたる商品や、アマゾンのさまざまなサービスを考えれば、まさにエブリシング・ストアを作り上げたといってもいいでしょう。

2000年代に入ると、アマゾンは音楽やDVD、ビデオの各ストアをオープン。さらにソフトウェアやTVゲームのストアを開設します。06年にはクラウド・コンピューティング・サービスのAWSを開始し、10年代に入ると電子書籍サービスのキンドルストア（Kindle）もオープンしています。

ベゾスは、「危険なのは進化しないこと」だと言い、次々と新しいサービスを〝発明〟していきます。

これらの経営の中でベゾスが重要だと考えているもののひとつに、**キャッシュフロー**があります。ベゾスがアマゾンの株主に送る手紙の中には、「決算報告の見栄えか、将来のキャッシュフローか、どちらかを選べと言われたら、将来キャッシュフローを選ぶ」とたびたび書いていることからもわかります。目先の利益を犠牲にしても長期的な価値の創造に投資する――これがベゾスの、そしてアマゾンの「長期思考」なのです。

では、そのキャッシュフローがどうなっているかですが、各四半期末のフリーキャッシュフローを見てみると、図3-4のようになっています。

キャッシュフローというのは、一定会計期間にどれだけの現金が流入し、どれだけの現金が流出したかという資金の流れを表すものです。その中でもフリーキャッシュフローは、企業が自由に使えるお金を意味します。

具体的には、営業活動から生じた現金の流出入である営業キャッシュフローから事業を拡大するために必要な設備投資などを引いた残りです。

ベゾスは、アマゾンを「長期思考」で考え、そのために市場の創出と成長を実現してきました。そのための経営指標となるのが、フリーキャッシュフローです。**フリーキャッシュフローを創出することが企業価値を向上させ、株主価値の向上につながる**、と考えています。図3-4の通り、フリーキャッシュフローは、2021年第4四半期から直近の2

■図3-4　各四半期末におけるフリーキャッシュフロー（直近12カ月間ベース）の推移

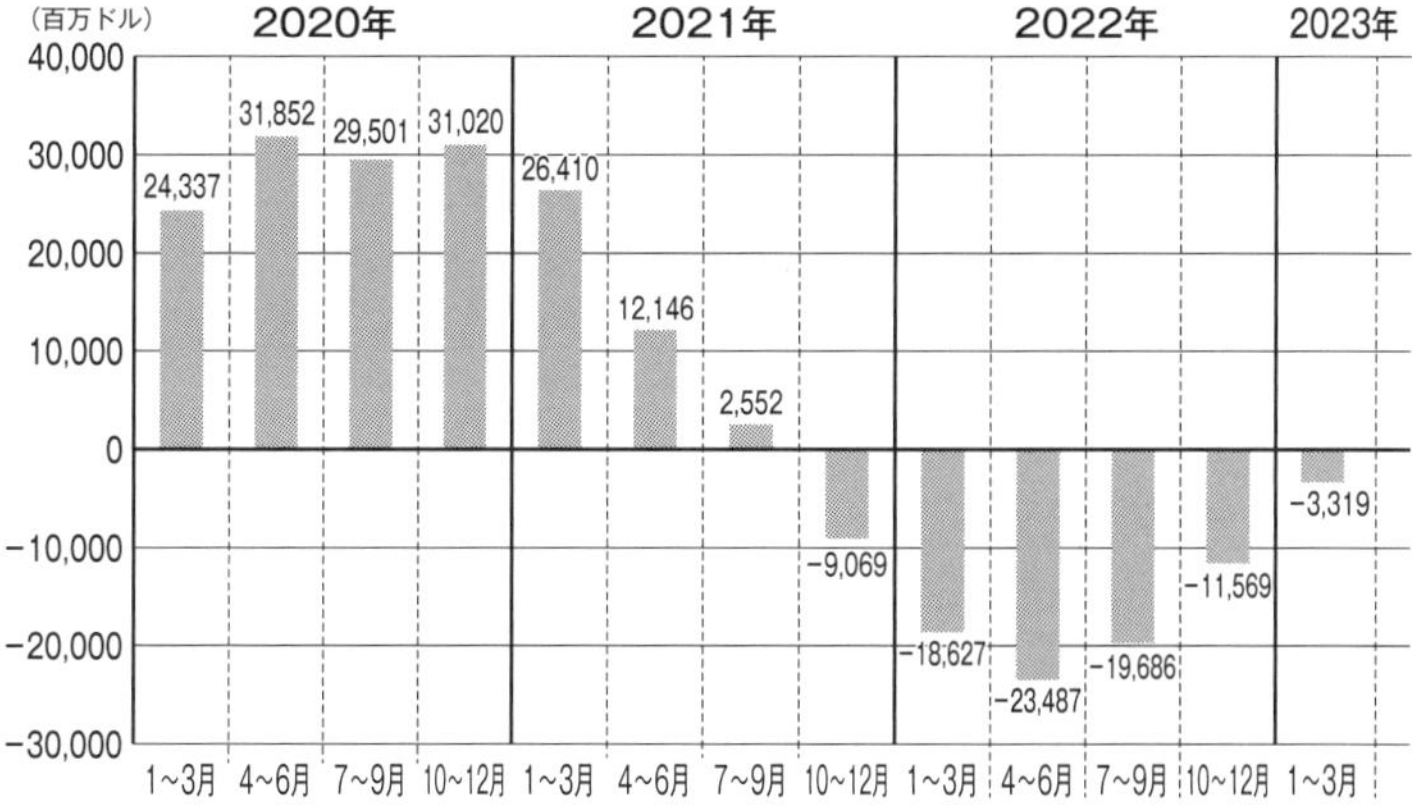

出所：アマゾンの収支報告書より作成

０２３年第１四半期まで６期連続でマイナスとなっています。その要因は、主に営業キャッシュフローを上回る固定資産や設備の購入による現金の流出です。これは、不確実な経済状況にあっても、アマゾンは、フルフィルメント網の強化や配送スピードの一層の高速化、ＡＷＳ事業での顧客との長期的な関係強化などに向けた投資を積極的に続けていることを表しています。**まさにアマゾンは、そうした投資が今後の営業キャッシュフローとしての現金流入やフリーキャッシュフローの創出に結びつくという「長期思考」に立っているのです。**

稼ぎ頭クラウドの減速

アマゾンをよく利用するユーザーでも、アマゾンがクラウドサービスの企業だと知っている人はあまり多くありません。

アマゾンは本のネット販売からスタートし、衣料やインテリア、キッチン用品、日用品などまで幅広く扱う流通系の企業だろう、というのが一般的な認識でしょう。ちょっと知っているユーザーなら、それに映画やドラマなどのビデオがサブスクで見られるサービスもやっていると思い当たるでしょう。

しかし、それらもまたアマゾンのサービスのほんの一部でしかありません。実はアマゾンにはAWSというサービスがあり、これがアマゾンの利益の稼ぎ頭なのです（図3-5）。

AWSというのは、Amazon Web Servicesの頭文字をとったもので、06年からサービスがスタートしています。ユーザーは、インターネットを通じてアマゾンの大規模なデータセンターに接続し、ここにある仮想サーバーを利用してデータを保存したり、あるいは新たなサービスを提供したり、また蓄積したデータを分析したりするなど、さまざまな業務が可能になっています。このクラウド上の仮想サーバーやサービスを提供しているのが

■ 図3-5　AWSの売上高の推移

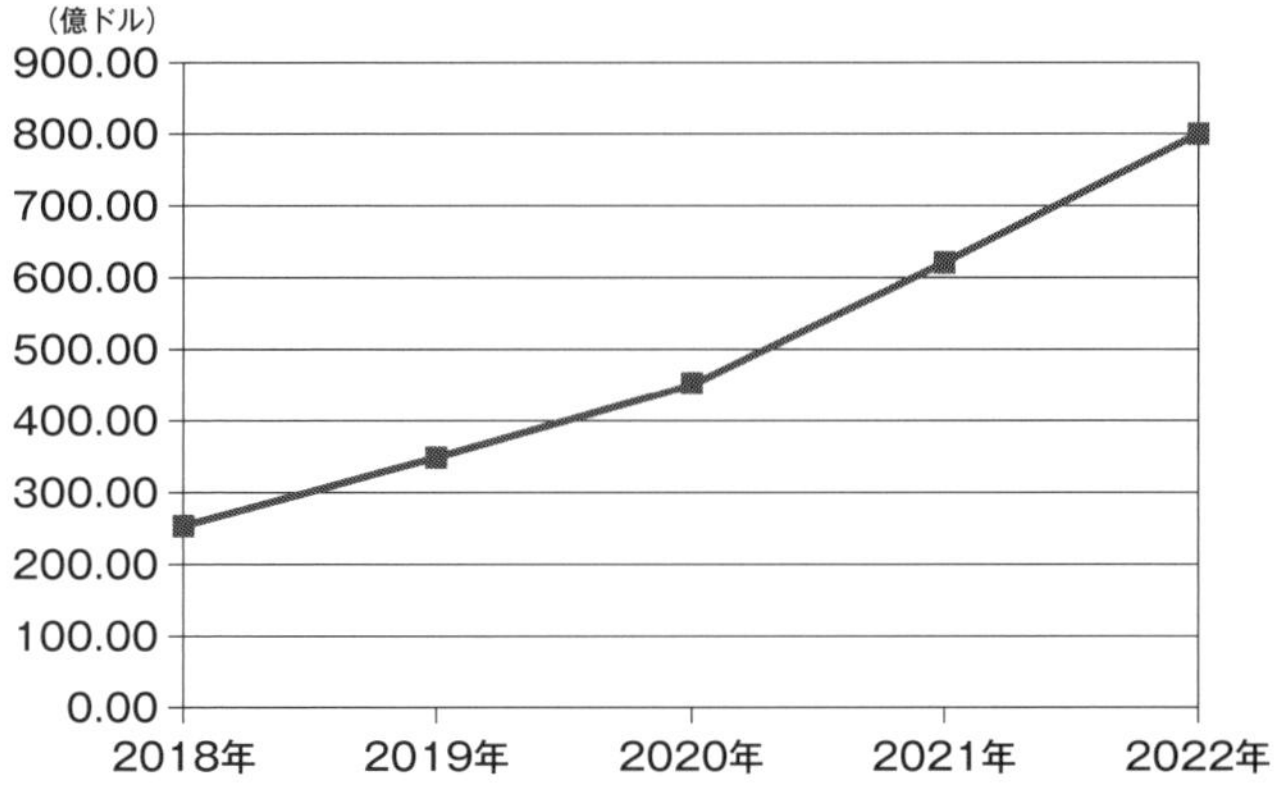

AWSです。

このようなサービスを、一般的にはIaaS（Infrastructure as a Service）と呼んでいますが、AWSは世界のIaaSでトップ、約40％近くものシェアに達しており、数百万社以上が利用しています。

アマゾン全体の売上の中で、AWSが占める割合は22年では15％を超えるようになってきています（図3-6）。割合としてはそれほど大きいとはいえませんが、ここ5年ほど11～13％程度で推移していたものが、22年には16％近くまで上昇しているのです。

ただし、よく見てください。アマゾン全体の営業利益とAWSの営業利益を比較すると、なんと**AWSの営業利益のほうが大きい**のです（図3-7）。どういうことかというと、アマゾンの営業

■ 図3-6　AWSが売上に占める割合の推移

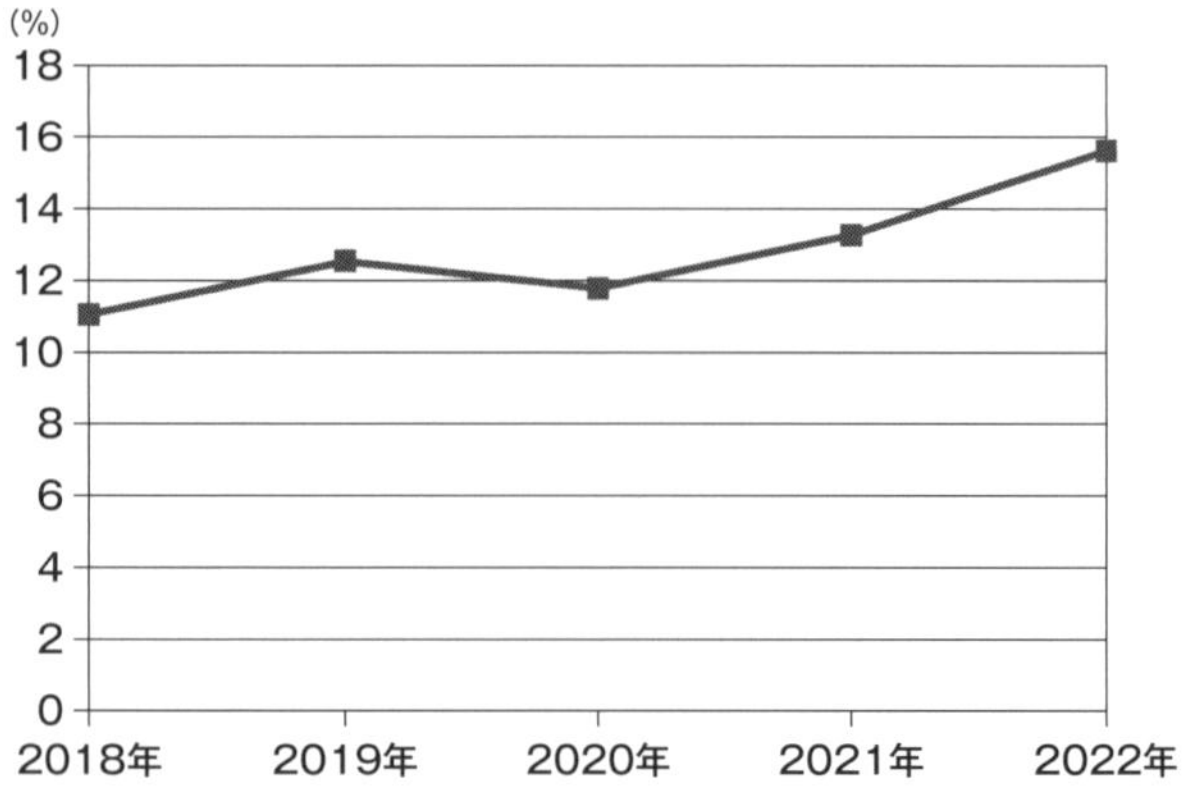

■ 図3-7　アマゾンとAWSの営業利益の比較（2022年）

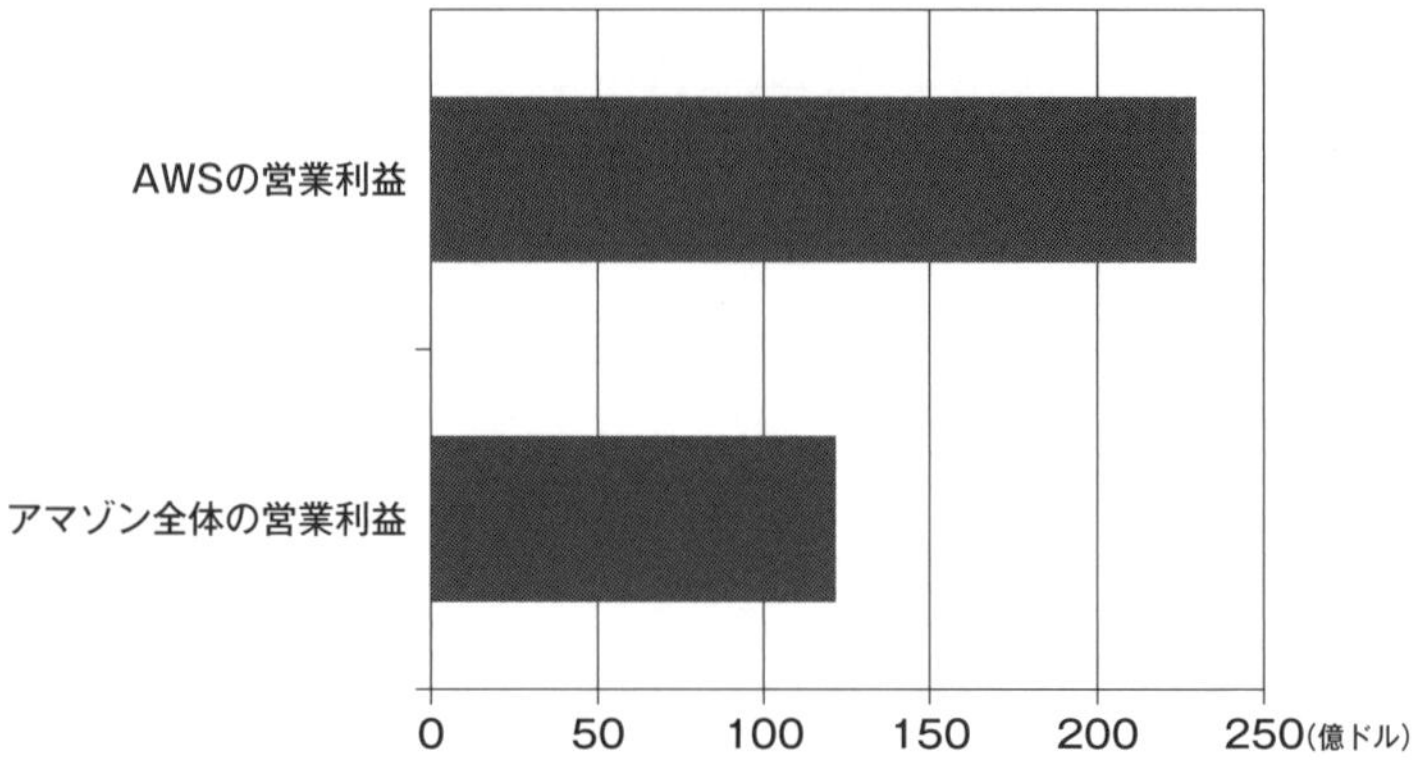

利益のうち、他の部門で出している赤字をＡＷＳが補塡していることになります。

アマゾン全体の利益から見れば、アマゾンは物販企業ではなくクラウド企業だといっても過言ではないのです。だからＡＷＳがアマゾンの稼ぎ頭なのです。

そのクラウド部門であるＡＷＳですが、**コロナブーメラン効果によってブレーキがかかってきています**。23年1～3月の第1四半期の決算では、ＡＷＳ部門の売上高の伸びは前年同期比15・8％増で、２０２２年第1四半期の同44・7％増、２０２1年第1四半期の同24・7％増と比べて鈍化が見られます。営業利益は、前年同期比21・4％減となり、マイナス成長となっています。これは企業のクラウドに対する投資が鈍化し始めているためです。

「景気後退に伴い、顧客は支出の抑制を優先している」とブライアン・オルサブスキーCＦＯも分析していますが、**ＡＷＳの減速の状況によっては、アマゾンの経営方針にも変化が出てくる可能性があります**。

「超成長企業」から「成長企業」へのダウングレード

アマゾンの稼ぎ頭であるＡＷＳは、その成長が鈍化し始めていますが、世界中の多くの

■図3-8　2022年第３四半期のクラウドサービスのシェア（%）

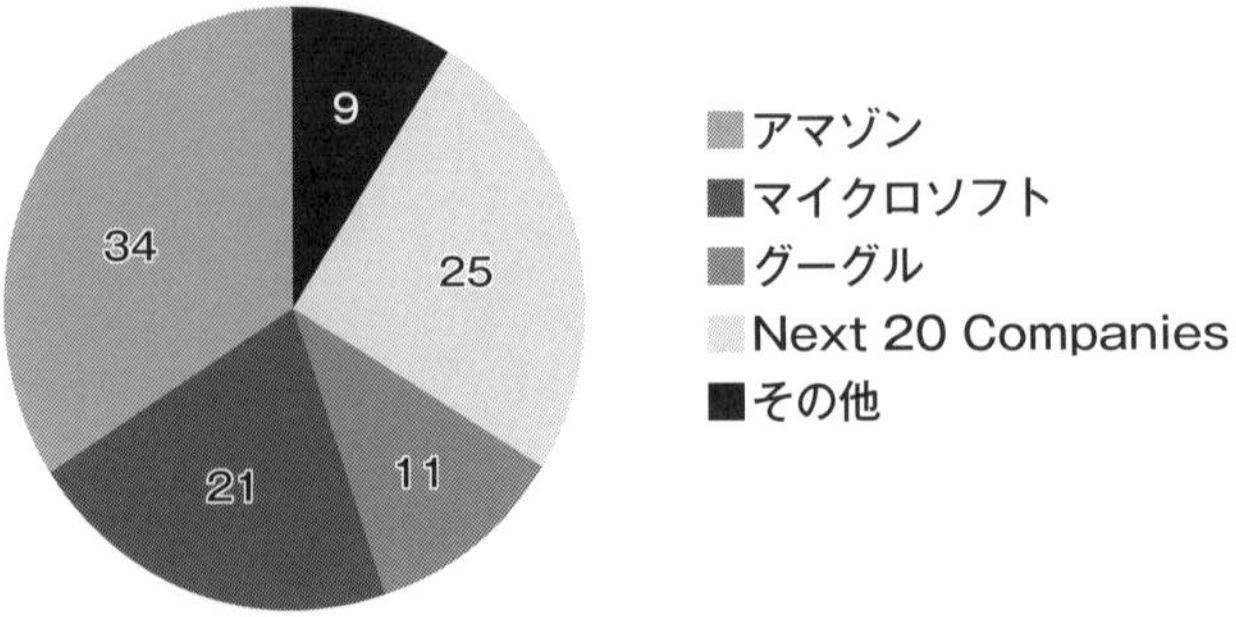

出所：シナジーリサーチグループの調査より
URL：https://www.srgresearch.com/articles/q3-cloud-spending-up-over-11-billion-from-2021-despite-major-headwinds-google-increases-its-market-share

企業がＡＷＳの顧客であることは間違いありません。シナジーリサーチグループの調査によれば、世界のクラウドサービスの中でＡＷＳのシェアは約30％（図3-8）。世界中でクラウドサービスを利用している企業の、実に3社に1社近くはＡＷＳを利用している計算になります。

なぜ、それほどＡＷＳは強いのでしょうか。それは、**初期費用を安くすることで多くのユーザーを集め、ユーザーが増えたときにさらに価格を下げるといった戦略をとったこと**が大きな要因と考えられます。

クラウドサービスというのは、サーバーを大量に調達する必要があり、そのために大規模なデータセンターが必要になってきます。サーバーを大量調達すれば、1台当たりのコストが安くなり、それがサービスの価格にも反映されます。実際、ＡＷＳはサービス開始から10年間で、なんと70回以上も価格を値下げしています。

これはアマゾン、言い換えればジェフ・ベゾスの経営方針そのものなのです。ベゾスはことあるごとに「**顧客中心主義**」という言葉を使います。アマゾンは12年に、日本で電子書籍端末である「キンドル」を発売していますが、このキンドルが１万円前後という安い価格に設定されていたことに対して質問され、「顧客との継続的な関係を築くことが、アマゾンのビジネスモデルです」と答えています。

ベゾスは、アマゾンの創業当初から「顧客中心主義」を標榜しています。利用者が使いやすいサービスとは何かを常に考え、インターネットでモノを売るためには、ネットの操作に不慣れな人にも使いやすいようにする必要があると考えました。顧客を中心にサービスを考え抜いて展開してきたのです。

この「顧客中心主義」という方針を徹底的に貫くために、ベゾスは「品ぞろえ」「利便性」「低価格」という3つの要素を重要視しています。また、この３つの要素を実現するために、まったく出費を惜しんでいません。

12年に『日経ビジネス』のインタビューに答え、ベゾスは次のように語っています。

「我々は市場シェアを自分たちで決めることはできないと常に思っています。最高の顧客経験を提供することに重点を置いてビジネスを展開するだけ。あとは顧客がアマゾンのシェアを決めます」（『日経ビジネス』2012年4月27日）

この〝最高の顧客経験〟とは、「ユーザーエクスペリエンス（User Experience）」のことと考えていいでしょう。ユーザーエクスペリエンスというのは、ユーザーが製品やサービスを使うことで得られる経験のことで、これを向上させることでサービスを継続して利用してもらえる可能性が広がります。

さらにアマゾンには、**カスタマーエクスペリエンス**（Customer Experience）という概念もあります。ユーザーエクスペリエンスが、個別の製品やサービスでのユーザー体験であるのに対し、カスタマーエクスペリエンスには製品を販売するスタッフの対応や購入後のアフターサービスといったものが含まれます。製品やサービスの使い勝手から、その後のアフターサービスまでも含め、ユーザーエクスペリエンスやカスタマーエクスペリエンスを向上させることで、製品やサービスのシェアを広げることにつながるわけです。

ただし、かつてはクラウドサービスを利用する2社に1社が、AWSのユーザーだといわれた時代もあります。これが現在では3社に1社になっています。さまざまなクラウドサービスが広がってきたことも要因でしょうが、AWSが「超成長企業」から「成長企業」へとダウングレードしたと見ることもできます。**アマゾンの稼ぎ頭であるAWSを、どの**

ように成長させていくかで、アマゾン本体の収益にも大きな影響を与えることは頭の片隅にとどめておきたいところです。

ビッグデータとAIを組み合わせる

ＡＷＳがアマゾンの稼ぎ頭でありながら、コロナ禍後に成長が鈍化していると記しましたが、明るい材料もあります。ＡＷＳはクラウドサービスですが、世界中から多くの企業やユーザーがこのサービスを利用しています。

また、アマゾンは書籍に始まり、実にさまざまな商品を販売しています。商品を購入するためには、アマゾンのアカウントが必要になるため、アカウント数だけユーザーが存在することになります。

アマゾンにはAWSやアカウントによって、サービスを提供しているだけで実に膨大なデータが入ってきて、これを蓄積していくことができるのです。

たとえば、アマゾンにログインすると、以前に購入した商品をもとにおすすめ商品が表示されます。レコメンド（おすすめ）機能ですが、これはユーザーが以前にどの商品を購入したか、どの商品のリンクをクリックしたかといったデータを蓄積することで、ユーザーが次にどのような商品に興味を持つかを分析・類推し、それに沿って興味がありそうな商品、つまり購入しそうな商品をおすすめとして表示してくれるわけです。

アマゾンに蓄積されているのは、販売している商品に関するユーザーのデータだけではありません。アマゾンではプライム・ビデオで動画を配信していますが、その動画の視聴データもあります。

あるいは、音声で命令などを与えるAIアシスタントのアレクサ（Alexa）があります。さらに、スマートスピーカーのアマゾンエコー（Amazon Echo）や、キンドルファイア（Kindle Fire）、スマートディスプレイのエコーショー（Echo Show）などもあります。

また、アメリカ限定ですがアマゾン・エコールック（Amazon Echo Look）というスマートデバイスもあり、こちらは音声で指示して写真撮影し、全身の服などのコーディネートを確認したり、アドバイスしてもらったりすることができます。

これらの音声認識端末からは音声データが、エコールックからは画像データが、やはりアマゾンに蓄積されていきます。

こうして収集・蓄積された膨大なデータは、いわゆる「ビッグデータ」と呼ばれるもので、このビッグデータをAIで分析することで、リコメンデーションの強化や商品・サービスの強化、アフターサービスの強化、さらに新商品やサービスの開発・強化といったことも可能になります。

90年代末頃から、「アマゾンはテクノロジー企業であって、小売企業ではありません」とベゾスは主張し、技術分野に投資を続けてきました。さらにAWSのホームページには、次のように書かれています。

「Amazon.comのリコメンデーションエンジンは、機械学習（ML）を使用して構築されていて、フルフィルメントセンターのロボットピッキングルートの最適化にも使用されています。また、アマゾンのサプライチェーン、予測、キャパシティープランニングにおいても、MLアルゴリズムからの情報が使用されています」

アマゾンを小売企業だと考えると、AIとは無縁とも思えます。ところが、AWSではすでに「Amazon Polly」という文章をリアルな音声に変換するサービスや、画像分析機能をアプリケーションに追加できる「Amazon Rekognition」、音声やテキストを使用した会話形インターフェイスを構築する「Amazon Lex」といったサービスも提供しています。

AIの分野でも、アマゾンは実は最先端を走っている企業なのです。**AWSとAIを組み合わせることで、新たな収益を生み出そうとしています。**

「私たちは、これまでの数十年間SFでしかなかった機械学習と人工知能で、実際に問題を解決しているのです」

17年5月に米国インターネット協会で行われた対談で、ベゾスはこう発言しています。AIとビッグデータの組み合わせが、アマゾンに大きな利益をもたらす時代がやってきているのです。

実店舗スーパー「アマゾン・フレッシュ」の苦戦

前述のように、アマゾンは、1994年に米ワシントン州シアトルで誕生しました。起業当時は「カダブラ（Cadabra.Inc）」という名前で、ウェブで書籍を販売する通販企業としてスタートしています。

どのような商品を販売しようかいろいろとリストアップした中で、書籍が最も現実的ではないかとベゾスは考えたのです。翌95年に社名を「アマゾン」に変更し、これが現在のアマゾンへと続くのです。

もともとベゾスは、86年に計算科学と電気工学の学士号を取得してプリンストン大学を卒業すると、最初にファイテルという会社に入社しています。コンピュータネットワークを構築して、株式取引に活用するという会社です。さらにバンカース・トラスト社に転職し、90年にヘッジファンドのD・E・ショー（D. E. Shaw & Co.）に転じています。

この頃からベゾスはD・E・ショーの創業者であるデービッド・ショーとともに、さまざまな新しいビジネスを考えていたのですが、その結果たどりついたのがカダブラでした。インターネットを使い、書籍のネット販売を行う企業です。

インターネットの普及によって、アマゾンは驚異的な成長を遂げていきますが、07年には「アマゾン・フレッシュ（Amazon Fresh）」というサービスもアメリカの一部の地域で開始しています。

このアマゾン・フレッシュというのは、生鮮食品や飲料、専門店グルメ、日用品、ベビー用品といった10万点以上もの商品を、ユーザーの注文から最短約2時間で配送するというサービスです。〝フレッシュ〟と付いていることからもわかるように、生鮮食品のような消費期限が短い商品を扱っていこうとしています。

アメリカの一部の地域で開始して以降、イギリスやドイツなどでも展開。さらに17年には日本でも地域限定でサービスをスタートさせていますが、さらにアメリカでは、アマゾン・フレッシュの実店舗を設置して、実際に店舗を訪れて生鮮食品などを購入できるようにしました。

しかもこのフレッシュの店舗は、入り口でスマホのアプリをスキャンするだけで、入店から購入、支払いなどまで完了するシステムになっており、客は会計のレジに並ぶ必要すらありません。〝レジなし〟の店舗・システムなのです。

このアマゾン・フレッシュの実店舗は、ロンドンでもオープン（21年）させていますが、23年初頭のCESでアメリカを訪れたときは、すっかり活気がなくなっていました。調べてみると、アマゾン・フレッシュの実店舗はアメリカ国内に42店舗あり、さらに20店舗ほど新規にオープンする計画があるのですが、具体的なオープン日時のアナウンスがなく、計画が止まっているようなのです。

ネット通販企業であるアマゾンが実店舗を持つというのは、実は何も不思議なことではありません。実店舗を持つことで、ここを物流の拠点にすることも考えているでしょう。実店舗を訪れるユーザーのデータを収集することもできます。アマゾンにとって、実店舗を持つことは、それだけメリットも大きいのですが、実はそれ以上の野望も見えてくるのです。

アマゾンゴーはコンビニの進化形

アマゾンの実店舗といえば、アマゾンゴー（Amazon Go）もあります。もともと16年12月に、アマゾン本社内に試験的にオープンしたもので、客はレジに並ばずに商品を購入できるなど自動化された無人店舗でした。以後、アマゾンゴーは全米に27店舗オープンしています。

ところがこのアマゾンゴーの店舗も、23年2月には8店舗が閉鎖され、新規出店も一時停止すると発表しています。その前年末、アマゾンは特定分野で1万8千人の雇用を削減すると発表しており、この特定分野の中には実店舗のデザインや技術に携わる従業員、さらに食料品部門での雇用などが含まれています。

コロナ禍の外出制限などが、アマゾンゴーや前述したアマゾン・フレッシュのような実店舗に影響を与えたことは容易に推測できます。また、これらの店舗がテクノロジーに重点を置き過ぎており、ユーザー体験が疎かになっている、といった批判もあります。

アマゾンゴーでは、事前にスマホ用のアプリをダウンロードしてインストールしておき、これにクレジットカード情報を登録しておきます。アマゾンゴーの店舗に入るには、入り口のゲートでそのアプリを起動してQRコードをかざします。

その後、ユーザーが商品を手にとると、これらが画像認識され、買い物を終えて店舗を出るときに、自動的に精算されて買い物が完了するといったシステムの流れになっています。〝レジなし〟の言葉通り、あるいは店舗内に掲げられている「ジャスト・ウォークアウト（JUST WALK OUT）」の看板通り、ただ歩いて商品を選んで手にし、店を出るだけで買い物から精算まで完了します。

ただし、多人数で店舗を訪れると誤動作するとか、棚から商品を素早く手にとると、やはりシステムが誤動作したり、開店時に20人以上客が押し寄せたりすると、客のトラッキングが難しく、システムが動作しないことがあるなど、いくつかの不具合も指摘されています。

これらのシステム上の課題が解決されれば、アマゾンゴーのようなレジレス店舗は小売業を大きく変化させるはずです。いや、実際にこのジャスト・ウォークアウトはアマゾン傘下の高級スーパーマーケットのホールフーズ・マーケットにも導入されています。

アマゾンは、17年にホールフーズを137億ドルで買収しています。この買収には、アマゾンが**購買頻度の高い生鮮食品に進出したい**、という思惑が透けて見えます。リアル店舗で購買頻度が最も高いのは生鮮食品であり、しかもこの分野はまだネット通販では確立されていない分野です。この分野をアマゾンが狙っていたわけです。

ジャスト・ウォークアウトはホールフーズのいくつかの店舗に導入されただけでなく外販も行われており、空港やアリーナ、コンベンションセンター、ホテルなどの売店、さらにコンビニなどにもこの自動決済システムが導入されようとしています。

リアル店舗を持ち、自動決済システムを稼働させることで、アマゾンはその先の決済システムのプラットフォームを狙っているとも予想できます。アマゾンは、07年にアマゾンのアカウントを利用して買い物ができる「アマゾンペイ」をスタートさせていますが、これはまさにアマゾンによる決済システムのプラットフォーム構築の第一歩ともいえるものではないでしょうか。

通信衛星の打ち上げへ

ファッション通販サイト「ZOZOTOWN」で知られるZOZO（旧スタート・トゥデイ）の創業者・前澤友作氏が、「宇宙なう」とツイッターでつぶやき、大きな話題となったのは、21年12月9日のことでした。巨額の費用をかけてロシアのロケットで飛び立ち、民間の日本人として初めて国際宇宙ステーション（ISS）に滞在を果たしました。

ちょうど同じ年の7月、アメリカでは宇宙企業「ブルーオリジン」がテキサス州から4人を乗せたロケットを打ち上げました。搭乗していたのは、ジェフ・ベゾスと氏の弟のマーク・ベゾス、それに60年代に女性飛行士候補だったウォリー・ファンクさんと、オークションで落札したオランダのオリバー・デーメンさんでした。

前澤氏は巨額の費用を負担して宇宙に飛び立ちましたが、ベゾスは「ブルーオリジン」

のロケットでの宇宙飛行です。そしてこの「ブルーオリジン」は、まさにベゾスが創業した宇宙企業なのです。

ベゾスは2000年に、航空宇宙企業である「ブルーオリジン」を設立しています。5歳のとき、アポロ11号の月着陸の場面をテレビで見たときから、ベゾスは宇宙に夢を抱くようになったといいます。

ロケット少年だったベゾスの夢は、宇宙飛行士。高校時代には科学で校内の最優秀生徒賞を3回受賞しています。2000年に創業した「ブルーオリジン」は、ベゾスの個人事業として創業したもので、有人宇宙飛行を目的とした企業です。

21年にアマゾンCEOを退任し、取締役会長に就任するとき、ベゾスはアマゾンの従業員に向けて1通のメールを送っています。そのメールの中には、次のような一節が書かれていました。

「会長になることで、引き続きアマゾンの重要な新規事業に従事しながら、慈善基金やベゾス宇宙基金、ブルーオリジン（航空宇宙事業）、ワシントン・ポスト、その他の情熱に集中するために必要な時間とエネルギーを得ることになります。私は以前に比べてもっとエネルギッシュであり、これは引退ではありません。私は、これらの組織が持つ影響力に、とても情熱を注いでいます」

ベゾスはアマゾンCEOから会長に退くことで、アマゾン以外の事業、特にブルーオリジンの事業に精力的に取り組もうというのです。宇宙事業に取り組むことは、ベゾスの子どもの頃からの夢だったのです。

しかし、実はそれだけではありません。ブルーオリジンが標榜するのは、宇宙旅行だけに限らず、輸送、衛星、惑星探査などまで広がっています。そして驚くべきことに、アマゾンのAWSは宇宙ビッグデータに着手しており、すでに収益化さえしているのです。

AWSのホームページには、「オープンな地理空間データを使用してクラウドに惑星規模のアプリケーションを構築します」と書かれているのです。

23年3月、アマゾンはかねてより計画中の低軌道衛星通信「プロジェクト・カイパー(Project Kuiper)」で提供するユーザー向け端末の試作品を公開しています(図3−9)。これはアマゾンが打ち上げる通信衛星を利用するための端末です。そしてアマゾンは、24年末までにサービスを提供する予定としています。

すでに22年から、KDDIがスターリンク(Starlink)という高速なインターネット接続サービスの提供を開始していますが、アマゾンもまた衛星サービスを始めようとしているのです。現在のスマホなどのように、地上の基地局を利用したネット接続サービスは、やがて衛星を利用したものに置き換わっていくはずです。利便性の点から考えれば必ず衛

■図3-9　プロジェクト・カイパーのユーザー向け端末の試作品

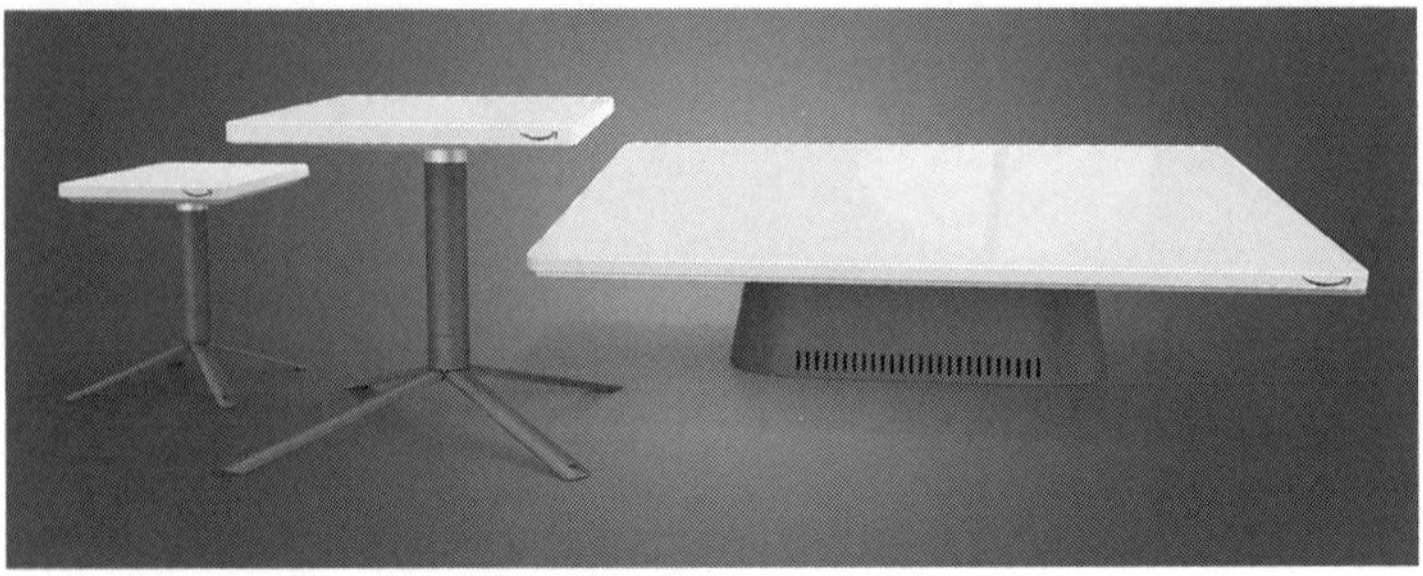

アンテナは３種類あり、用途に応じて選択できる

星の時代がやってきます。

アマゾンはブルーオリジンによって、**この衛星の時代を一歩先んじている**といってもいいでしょう。さらにアマゾンでは、**この衛星を利用してドローンによる配送システムを構築すること**も考えているようです。

ドローンを使った配送は、アメリカをはじめ日本でも実験が行われていますが、すでにアマゾンからは飛行船で巨大倉庫を空に浮かべ、ドローンを使って商品を届ける「空飛ぶ倉庫」の構想の特許が出願されています。

アマゾン×ブルーオリジン×AWS×AI……これらがそろっているのは、アマゾンの大きな強みなのです。

アマゾンがヘルスケアビジネス参入へ

21年1月に、グーグルはスマートウォッチなどのウェアラブルデバイスを手掛ける米フィットビット（Fitbit）の買収が完了したと発表しました。

フィットビットは、サンフランシスコに本社を置く家電およびフィットネスデバイスの企業で、これまで歩数や心拍数、睡眠の質などを測定するウェアラブルデバイスを生産・販売してきました。その数は、世界中で1億台以上ともいわれています。

グーグルはこのウェアラブルデバイスのメーカーを買収し、22年10月にはグーグル・ピクセルウォッチ（Google Pixel Watch）を発売しています。腕時計型のスマートウォッチで、内部にはフィットビットの技術も使われています。

スマートウォッチの分野では、これまでアップルのアップルウォッチが業界をリードしてきましたが、このアップルウォッチに対抗できるデバイスがありませんでした。もともとグーグルには、アンドロイド・ウェア（Android Wear、現Wear OS）というスマートウォッチ用のOSがありました。これはグーグルが中心となって開発されたスマートウォッチ向けのOSで、他のウォッチメーカーがこのOSを利用してスマートウォッチを開発・

発売したり、このOSに対応するアプリをアンドロイド版スマートフォンにインストールしたりして、身体数値を操作・管理できるようにしたものです。

ところがスマートウォッチ分野では、アップルがアップルウォッチを発売することで、大きくシェアをとってしまいました。そのためグーグルは、ウェアOSの普及とともにスマートウォッチの分野でシェアを挽回するために、それまでスマートバンドで大きなシェアを持っていたフィットビットの買収に乗り出したのです。

なぜ、スマートウォッチやスマートバンドなどのウェアラブルデバイスのシェアが必要だったのでしょうか。フィットビットは10年以上にわたり、ユーザーの日々の身体数値、歩数、運動量、それに心拍数や睡眠に関するデータなどを収集してきました。それらの健康状態を示すデータは、やがて食品や飲料、健康関連商品などの広告やサービスと結びつけることで大きな利益を生むと考えられているからです。

この健康関連のビジネス、ヘルスケアビジネスに目を付けているのは、もちろんアップルやグーグルだけではありません。アマゾンもまた、22年2月にヘルスケア事業を開始しています。

アマゾンが始めたのは、アマゾン・ケア（Amazon Care）という事業で、19年に米アマゾン社員を対象としてスタートさせたパイロット事業を本格始動したもので、遠隔医療と訪問医療が提供されました。利用者は医師による遠隔コンサルテーションが受けられるほか、看護師の訪問によるコロナワクチンの接種なども受けられたようです。

このアマゾン・ケアは、22年に終了し、変わって同年11月にはアマゾン・クリニック（Amazon Clinic）を開始することが発表されました。こちらは自宅でも外出先でも、いつでもどこからでも必要なときにオンライン上で診察や健康相談を受けられるというサービスで、米国内32の州から開始され、数カ月かけて全米に拡大されるそうです。

アマゾン・クリニックでは、感染症やアレルギーといった問題とともに、脱毛や皮膚のケアといった美容問題に関する診察サービスも提供するようで、医師とメッセージベースで相談を行い、処方せんや個別の治療計画も立てられる本格的なサービスとなるようです。

アップルウォッチやグーグル・ピクセルウォッチなどとはかなり違いますが、ウェアラブルのスマートデバイスが健康状態を自己管理するのに対し、**アマゾン・クリニックは専門的な機関と連携することで、健康状態の監視・改善が可能になります。**

コロナ禍によって、遠隔医療には大きな注目が集まっていますが、この分野は世界のＧＤＰの10%、米国内だけでも11兆８千億ドル、日本円で約１５００兆円ともいわれる膨大な市場が見込まれています。

この膨大な市場に、ＧＡＦＡＭ各社はそれぞれの方法で切り込もうとしているのです。

ヘルスケア市場で覇権を握るのは、ＧＡＦＡＭのうちどの企業でしょうか。あるいは、まったく新しいビッグ・テック企業が誕生し、ＧＡＦＡＭを抑えてヘルスケア業界に君臨する可能性さえ残されているのです。

第4章

メタ（フェイスブック）の大転換

GAFAM
+
Tesla

2桁成長を続けていたメタのネット広告売上高が低迷

ＧＡＦＡＭの中でも、現在最も先行きが不安視されているのがメタ（Meta、旧Facebook）でしょう。メタという名前に馴染みがなくても、フェイスブックと聞けば、多くの人が思い当たるのではないでしょうか。

メタの前身であるフェイスブックは、ハーバード大学の学生だったマーク・ザッカーバーグ（現ＣＥＯ）が２００４年に設立したＳＮＳ企業です。もともとフェイスブックは、ザッカーバーグが学生同士の交流を図るために始めたサービスですが、06年には全米の高校生にも開放し、同年末には13歳以上のすべての人に開放されました。

さらにフェイスブックは、12年にはナスダックに上場。23年2月現在のユーザー数は、全世界で29億５８００万人に達しており、他のＳＮＳと比較してもユーザー数で頭抜けています。

21年10月には、それまでのフェイスブック（Facebook, Inc.）からメタ・プラットフォームズ（Meta Platforms, Inc.、通称メタ）に変更し、これまでのＳＮＳ企業ではなく**メタバースの開発と提供に事業の中心を移すこと**を発表しています。

フェイスブックからメタへと社名を変えたことからもわかるように、それまでのフェイスブックの売上のほとんどが広告収入でした。ところが23年2月に発表した22年10～12月期決算では、最終利益（純利益）がなんと前年同期比55％減となり、５四半期連続の減益となったのです。２０２３年１～３月期決算でも、最終利益は前年同期比25・３％減となりました。その大きな原因と考えられるのが、**景気の減退による広告収入の減少**です。

メタのユーザー数は29億５８００万人。これまでメタは、ライバルを減らすために他のＳＮＳを買収するという方針をとっていました。たとえば、12年４月には写真・動画共有サイトのインスタグラムを買収。14年２月にはモバイル版テキストメッセージングサービスのワッツアップ（WhatsApp）を買収しています。

調査時期が若干異なりますが、現在の各サービスのユーザー数は、フェイスブック

■表4-1　世界のSNSのユーザー数ランキング

Facebook	29億5,800万人
YouTube	25億1,400万人
WhatsApp	20億人
Instagram	20億人
WeChat	13億900万人
TikTok	10億5,100万人
LinkedIn	8億7,500万人
Snapchat	7億5,000万人
Twitter	5億5,600万人
Pinterest	4億4,500万人
LINE	1億9,400万人
Tumblr	1億3,500万人

■図4-1　メタ・プラットフォームズの売上高・営業利益の推移

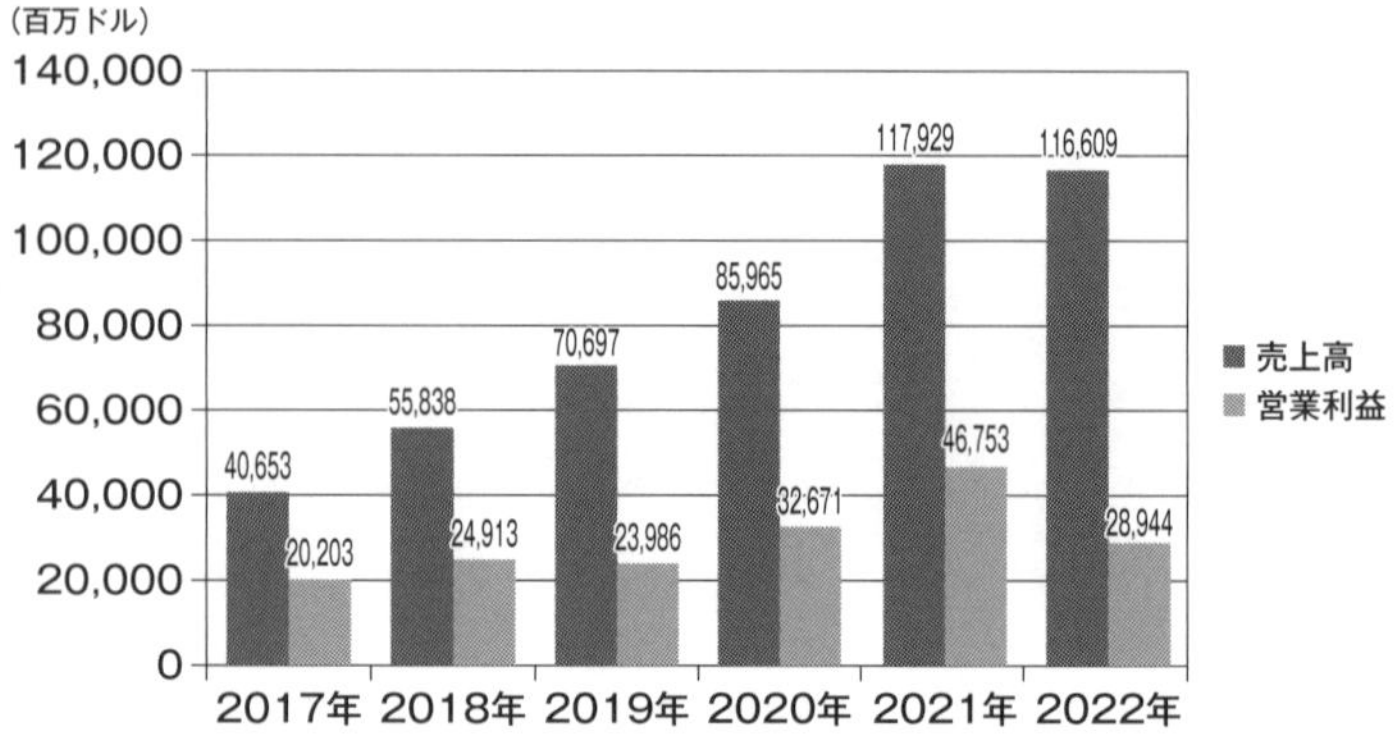

が約29億6千万人、インスタグラムが20億人、ワッツアップが20億人となり、合計すれば70億人弱にもなるのです。もちろん、その多くが複数のサービスを利用していますから単純計算などできませんが、それにしても地球の人口（約79億人）に迫る数のユーザーを抱えているのです。

それでも広告収入が減少し始めたメタは、次の一手を探り始めています。それが社名をも変更させた**メタバース**なのです。

「Web2.0ベースのメタバース」と「Web3ベースのメタバース」

メタバースというのは、簡単にいってしまえばコンピュータ内に作られた3次元の仮想空間のことで、またその仮想空間内で提供されているサービスのことです。

メタが社運を賭けてまで手掛けようとしているのが、そんな仮想空間だと知ってがっかりした人もいるかもしれません。かつて04年頃、セカンドライフ（Second Life）という仮想世界のサービスがあり、その内部では独自のリンデンドルという通貨が流通し、大きな話題になっていたことを覚えている人もいるでしょう。このセカンドライフがいまだにサービスを続けているとはいえ、ほとんど忘れ去られるほどに衰退してしまったのは、やはり仮想空間というものが現実世界とは相容れないのではないか、と考えるのも無理はありません。

ところが、現在のメタバースは、セカンドライフなどとは比較にならないほど発達しています。セカンドライフが出始めた頃は、まだウェブ2・0（Web2.0）の世界で、現在はウェブ3（Web3）の世界だといわれています。

90年代中盤から普及し始めたインターネットは2000年代に入り、誰もが情報の送り手となって自由な発信が可能になりました。その代表格ともいえるのが、04年頃から急速にブームになったブログ（ウェブログ）です。

それまでのインターネットでは、情報の送り手と受け手が固定されており、情報は一方通行になっていました。これをウェブ1・0とすれば、誰もが情報を送れるようになったのがウェブ2・0です。99年に作家でありウェブデザイナーのダルシー・ディヌッチが提唱した言葉ですが、アメリカのメディア企業であるオライリー（O'Reilly Media）の創設者ティム・オライリーが自身のブログの中で言及したことから、急速に普及した言葉です。

このウェブ2・0に対し、次世代のウェブとして提唱されているのが、ウェブ3またはウェブ3・0という概念です。これは14年にブロックチェーン・プラットフォームであるイーサリアムの共同設立者ギャビン・ウッドによって作られた言葉で、簡単にいってしまえば、ブロックチェーン技術を利用した分散型インターネットです。

ブロックチェーンとは、暗号技術を使ってデータを分散して保存する仕組みのことです。仮想通貨はこのブロックチェーン技術を利用したものですが、同じようにさまざまなデータをブロックチェーン技術を利用して分散保存することで、ユーザーが自らデータを共有・管理しながら運用しようというのが、ウェブ3の基本的な概念です。

ただし、ウェブ3という新しい技術やサービスが出てきたというのではなく、ウェブ2・0の上に新たにブロックチェーン技術などを利用し、データを分散させた次世代のウェブ、といった概念のものです。

セカンドライフがウェブ2・0の上で運営されたメタバース（仮想空間）だとすれば、メタが取り組んでいるのは**ウェブ3上のメタバース**です。このメタバースは、何も急に出てきたものではありません。それは16年にメタ（当時はフェイスブック）がオキュラス（Oculus VR）を買収したことからもわかります。

オキュラスは、コンシューマー向けのバーチャルリアリティ・ヘッドセットやソフトを開発・発売するVRメーカーです。さらに19年には、「ビートセイバー（Beat Saber）」の開発で知られるゲーム開発会社ビートゲームス（Beat Games）を買収しています。フェイスブックというSNSを運営しながら、すでに16年頃からメタバースに興味を示していたことがわかります。

メタバースは、あなたが思っているよりも近くに来ている！

バーチャルリアリティ（VR、Virtual Reality、仮想現実）やAR（Augmented Reality、拡張現実）が新しい技術で、今後発展していく分野だというのはわかりますが、そんなのはゲームの世界だけで、メタバースが生活に浸透することはないだろう、と考えている人は少なくありません。"仮想〟現実というだけに、それはあくまで仮想、仮のものであって、現実ではない、と感じるからです。

ところが、**すでに世界ではメタバース、仮想現実が思っている以上に身近になってきて**

いるのです。たとえば、ロブロックス（Roblox）が代表例です。

テック業界で働いている人や、ゲームに詳しいユーザー以外は、ロブロックスについてほとんど知らないでしょう。ロブロックスというのは、ユーザーがゲームを作成したり、あるいは他のユーザーが作成したゲームをプレイしたりできるオンラインのゲーミング・プラットフォームです。また、このプラットフォームで誰もが遊べるゲームを作成できるシステムです。

ロブロックスの歴史は古く、04年にはベータサービスが登場し、06年には正式サービスがリリースされています。現在はパソコンやスマホ、Ｘｂｏｘなどに対応しており、すでに5千万人近いユーザーがプレイしています。プレイヤーの多くが、ティーンエイジャーで、いわゆるZ世代の若者たちです。

他のゲームなどと比較すると、もともと小規模なプラットフォームでしたが、10年代後半になって成長し始め、特にコロナ禍で20年代初頭に急速に成長しています。ゲーム内ではロバックス（Robux）という仮想通貨が利用できるのも魅力で、アメリカでは16歳未満の子どもたちの半数以上がプレイしているともいわれています。月間プレイヤー数は2億人に迫る勢いで、アメリカでは「**メタバースの本命**」ともいわれています。

このロブロックスの面白いところは、プログラミングの知識があればゲームを自作して

■図4-2　ロブロックスのホーム画面

好きなゲームを選んでプレイできる
URL：https://www.roblox.com/home?nu=true

公開することで収益を得ることもできる点です。「ゲーム版ユーチューブ」などとも呼ばれているのは、まさにこのユーザーが収益を得られるという点にあります。

　ロブロックスが急速にユーザーを増やしたのは、もちろんコロナ禍の影響でしょう。外出が制限されたため、外で友達と遊ぶ代わりに、ロブロックスに集まってメッセージを交換したり、一緒にゲームをしたりする、といった使い方もできます。ＳＮＳと同じように、友人をフォローしたりフォローされたり、あるいはグループを作成して一緒にゲームを楽しんだりするといったことも可能です。

このSNS的な使い方が、現在の若者に受けたのかもしれません。外出制限時や学校から帰宅してから、友人同士がロブロックスに集まり、おしゃべりをしたり一緒にゲームをしたりする、といった使い方で、ロブロックスが新たな〝たまり場〟になっているようです。

このロブロックスでは、子どもたちがゲームを作って配布したり、ゲーム内のアイテムを購入したりできますが、子どもたちだけでなく小売チェーン大手のウォルマートや、食品大手ケロッグ、ヨーグルトメーカーのチョバーニなど、一般企業からも毎週のようにゲームが登場しています。

「子どもたちはもはやキャッシュは欲しがらない。欲しいのはロバックスだ」と題された記事が、22年12月12日の『ウォール・ストリート・ジャーナル』にも掲載されています。

すでにアメリカでは、子どもたちはロブロックスのようなメタバースで、より多くの時間とお金を費やすようになってきているのです。

すでに半数がメタバースの利用経験あり

ロブロックスだけではありません。メタバースにはロブロックスやメタだけでなく、多くのプラットフォームがあります。

日本でもよく知られているメタバースには、次のようなものがあります。

・フォートナイト（Fortnite）：エピック・ゲームズ（Epic Games）が販売・配信するオンラインゲーム。異なるジャンルのゲームモードが提供されており、有料のアイテムに課金し、ゲーム内で使用できるコスチュームなどが購入できる。

・クラスター（cluster）：クラスター株式会社が開発・運営するメタバースプラットフォーム。アバターを動かして、他のアバターなどとコミュニケーションがとれる。VRゴーグルのオキュラス・クエスト2（Oculus Quest 2）でプレイでき、パソコンやスマホでも利用できる。

・ゼペット（ZEPETO）：日本だけでなくアジアを中心に、約3億人以上がプレイするメタバース。全体の8割が10代のユーザーで、Z世代の女性も多い。自撮りアプリのスノー（SNOW）の開発元である韓国スノーが開発したサービスで、現在は韓国ネイバーZが運営している。

・VRチャット（VRchat）：米VRチャット社（VRChat Inc.）によって運営されているソーシャルVRプラットフォーム。VR機器がなくてもプレイできる。

・リアリティ（REALITY）：SNSのグリー（GREE）を運営するグリーの子会社リアリティ社が運営するライブコミュニケーションサービス。アバターでライブ配信や視聴を行うことができ、他のユーザーとコミュニケーションがとれる。

2022年10月に、トランスコスモスが行った「メタバースに関する利用実態、消費者調査2022」によれば、全体の25％がメタバースを利用したことがあると答えています。特に15～19歳の男性で48％、20～29歳の男性では55％が利用したことがあると回答しており、10～30代では半数近くがすでにメタバースを利用していることがわかります（図4-3）。

■ 図4-3　メタバースの利用状況（n=1,331）

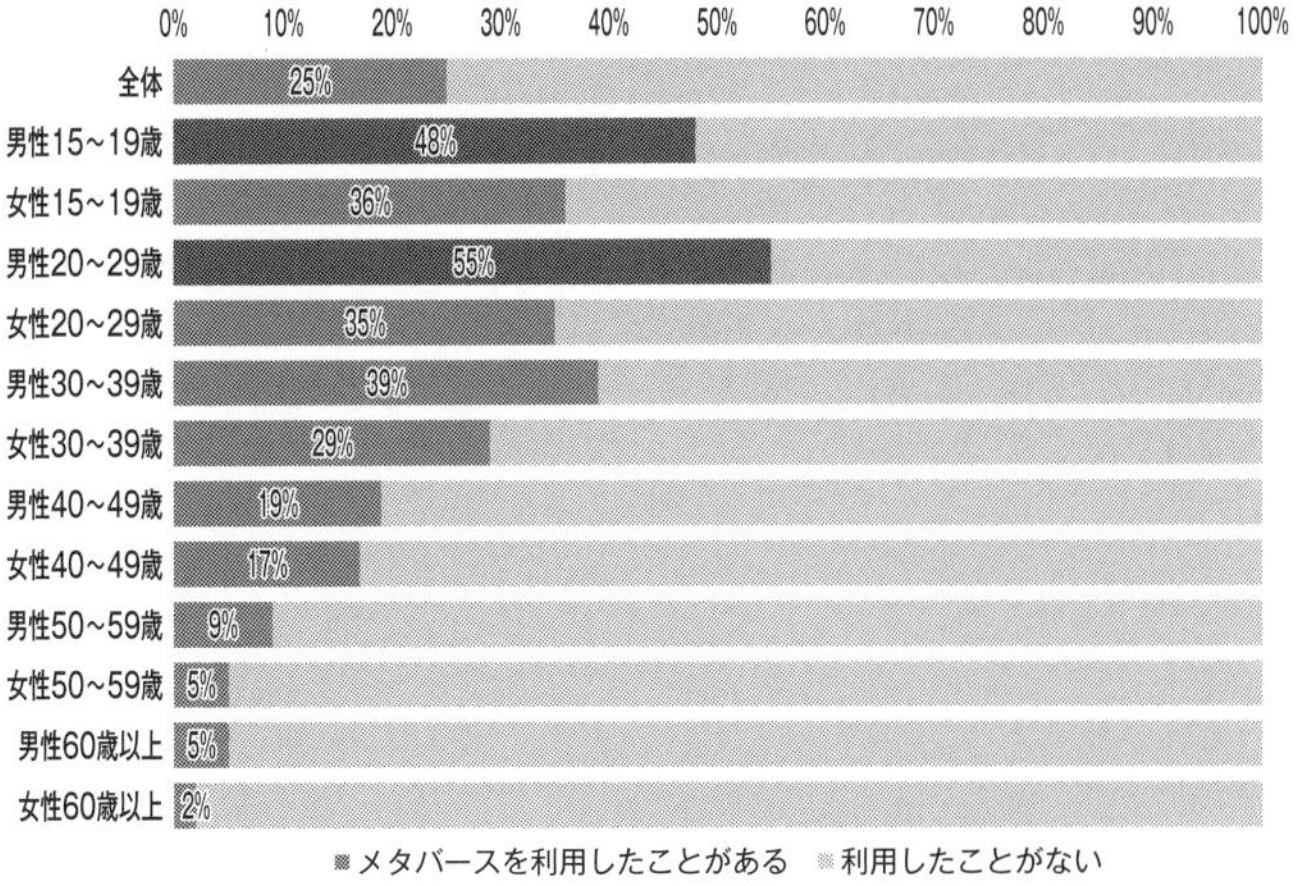

出所：トランスコスモス株式会社「【メタバースに関する利用実態_消費者調査2022】」
URL：https://www.transcosmos-cotra.jp/report/usage-status-of-metaverse1

■ 図4-4　利用したことがあるメタバース環境

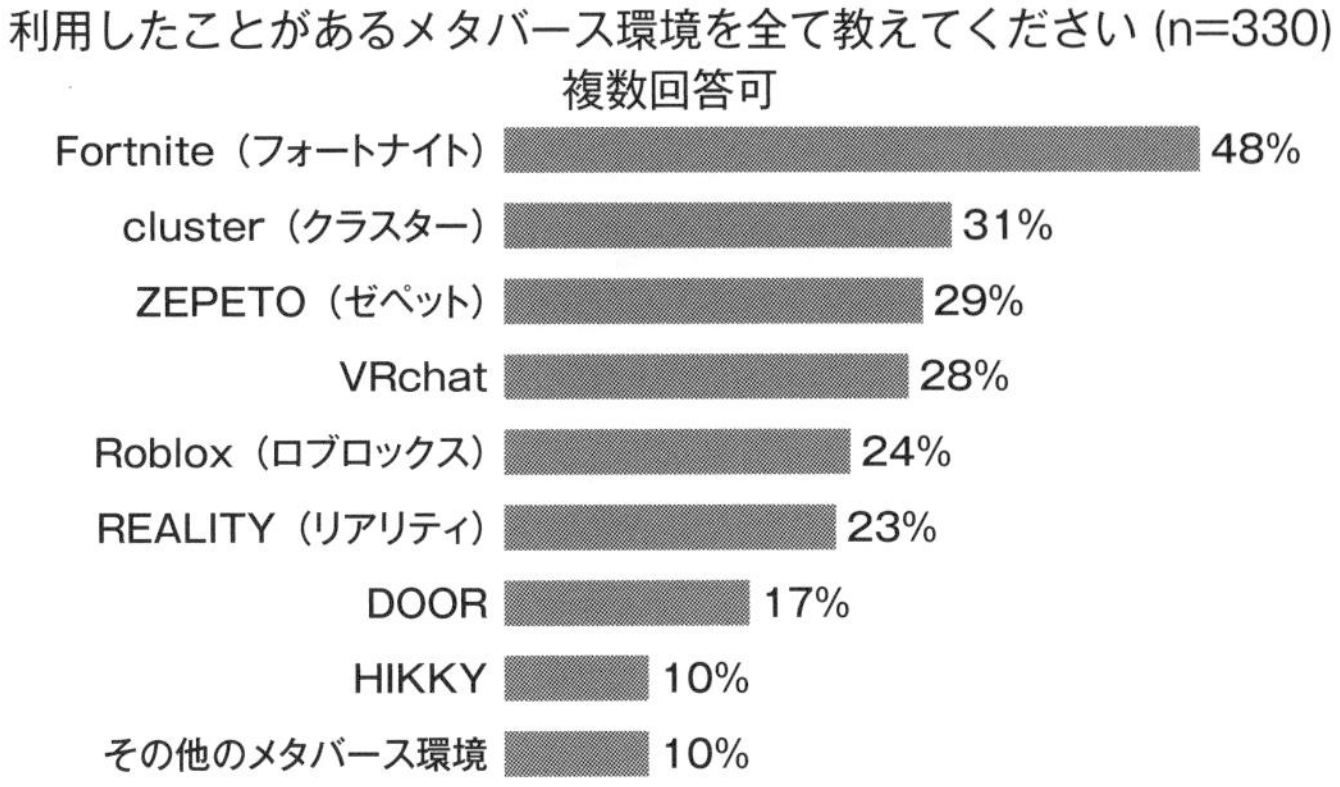

出所：トランスコスモス株式会社「【メタバースに関する利用実態_消費者調査2022】」
URL：https://www.transcosmos-cotra.jp/report/usage-status-of-metaverse1

「IoT」ではなく「MoT」へ

メタバースはすでに身近な存在になりつつありますが、それによってメタバースの世界に参入してくる企業も増えてきました。メタバースそのものを始める企業もあれば、メタバースの世界をマーケットとして利用しようとする企業もあります。

たとえばロブロックスでは、さまざまな企業がコラボレーションし始めています。それらの中には、ディズニーやレゴ、ナイキといった世界的な企業もいます。ロブロックス内で商品をアピールする場を設けることで、企業は膨大な数のロブロックスのユーザーに、直接アクセスできるようになります。

このような状況で出てきたのが、MoTという言葉です。The Metaverse of Things……「モノのメタバース」です。23年のCESで、主催者の全米民生技術協会（CTA）が提唱した概念です。

これまでインターネットは、コンピュータとコンピュータ同士を接続するためのものでした。そこにスマホやタブレットなどが出現し、これらの機器もインターネットに接続されるようになりました。

続いてデジタルカメラやテレビといった従来の家電が、Ｗｉ－Ｆｉ接続機能などを持たせることで、やはりインターネットに接続するようになりました。スマートスピーカーやスマートディスプレイなど、デジタル情報家電がインターネットに接続することで、テキストだけでなく音楽や音声、写真やビデオといった膨大なデータがインターネット経由で送受信できるようになりました。

これらのさまざまな機器をインターネットに接続することを、ＩｏＴ（Internet of Things、モノのインターネット）と呼び、これまではあまり考えられなかったような機器までインターネットに接続できるよう、さまざまなセンサーも開発され、物理的なモノだけでなく、計測データや制御データといったものさえインターネットを介して送受信できるようになってきました。

このＩｏＴが進んだ世界が、ＭｏＴです。ＩｏＴがさまざまなモノがインターネットに接続される世界であるのに対し、ＭｏＴではさまざまなモノがメタバースに接続されます。

メタバースは、コンピュータ内に作られた仮想現実の空間ですから、ＩｏＴの接続先をもう一歩進めてメタバースにすれば、ＭｏＴになります。その意味では、ＭｏＴもＩｏＴも概念としては同じです。

ただし、**さまざまなモノがメタバースに接続して動くためには、没入感を高め、仮想化**

が重要になってくる、とCTAは指摘しています。また、さまざまなモノをメタバースに接続するためには、高速な通信も必要になってきます。そのために利用できるのが、5G、つまり第5世代移動通信システムであり、現在その先として進められている6G（第6世代移動通信システム）です。

6Gが構築されれば、1千Gbpsを超える速度が実現できるといわれています。これは5Gの10倍という超高速通信になります。

メタバースは、子どもたちやZ世代を中心に、予想以上に日常生活に入り込んでいます。その意味では、MoTもすぐそこまで来ている概念なのです。

D2CからD2Aへ：アバター経済をめぐる覇権争い

メタバースに企業が続々と参入するのは、メタバースが新たなマーケットとして期待されているからです。その代表ともいえるのが、**D2A**だといっていいでしょう。

D2Aとは、Direct To Avatar、つまり企業がダイレクトにアバターとつながることです。アバターというのは、ゲームやメタバースの中で自分の分身となって動き回るキャラクターのことですが、企業がこのアバターにダイレクトにつながることで、新しいコマースが生まれつつあります。

アメリカの調査会社CBインサイツ（CB Insights）は、スタートアップ企業やベンチャーキャピタルなどの動向を調査・分析していますが、22年の12大テクノロジートレンドのひとつとして、D2Aを挙げています。

これまで企業が消費者にダイレクトに製品やサービスを届ける手法に、「D2C（Direct To Consumer）」がありました。中間流通業者を通さず、自社のECサイトを通じて製品を顧客に直接販売する方法です。

このD2Cに対し、D2Aは**自社の製品やサービスを顧客ではなくアバターにダイレクトに届けます**。メタバース内のアバターは、AR（拡張現実）やVR（仮想現実）、MR（複合現実）といった技術が発展することで、アイデンティティが重視されていくでしょう。

実際、メタバース内で自分の分身であるアバターを決めるとき、性別や顔の形、髪型、ファッションといったものをまず設定し、より自分に似た分身、あるいは自分がなりたいと考えている分身に近づけています。メタバースの世界に参加するとき、たいてい最初に行う設定です。

このアバターに、もっと好みの服を着せたり、髪型を工夫したり、あるいはメガネをかけさせたり、バッグを持たせたりしたいと思うでしょう。多くのメタバースでは、これらのアイテムを無料もしくは有料で提供しています。

まったく同じように、アバターに対し企業がダイレクトにつながることで、アバターのアイデンティティを高めるような、あるいは自分好みのアバターに変身させるためのアイテムなどを届けることができます。

すでにアメリカでは、テクノロジートレンドとしてD2Aが注目されているのです。このD2Aによるリアルとデジタルの世界をつなぐ新しいコマースが、小売をはじめとするビジネスを変化させようとしています。

このD2Aは、「**アバターエコノミー**」という言葉さえ生み出し、22年に全米小売業協会（NRF）の主催によって開催された世界最大の小売展示会「NRF 2022」で、「小売とメタバースの融合にチャレンジすべきタイミングが到来した」と発表されています。

D2CからD2Aへという動きは、マーケット環境の変化を物語っています。これはリアルのマーケットから、アバターが動き回るメタバースのマーケットへ、という変化です。

かつて12年には10代の94%がフェイスブックに参加していましたが、それから10年の時を経て、21年には27%まで低下しています。一方で、22年に電通が行った「メタバースに関する意識調査2022」によれば、Z世代のアバターやアイテムの購入額は前年の2・4倍にも増加していたという結果が出ています。フェイスブックが社名を変えてまでメタバース事業にシフトしようとしている背景には、**この若い世代を取り戻したい**という狙いが明確に見えてきます。

グッチは「グッチ・タウン」をローンチ

D2A市場にいち早く参入したのは、スポーツアパレル大手のナイキでした。21年12月に、ナイキはNFTスタジオ「バーチャルアパレル」を手掛けていたデザイナーグループの「アーティファクト（RTFKT）」を買収しています。

NFTというのは、「Non-Fungible Token」の頭文字をとった用語で、非代替性トークンと訳されるものです。ブロックチェーン技術を用いることで、複製が容易だったデジタルデータの唯一性が証明可能となるものです。メタバースでは仮想現実の中で経済活動を行う際に重要となってくる技術です。アートをはじめ、音楽やテキストまで、NFTを利用して多くのデジタル資産が高額で取引されるようになってきています。

ナイキは、ゲーム「フォートナイト（Fortnite）」内で、スニーカーのデザインを提供するなどの活動を始めています。メタバース内のアバターにナイキのスニーカーを履かせることで、今まで以上にブランドに対する愛着が湧くといわれています。

■図4-5　ロブロックス内にあるグッチ

D2Aを行うプラットフォームとしてナイキが選んだのは、ゲーム版ユーチューブとも呼ばれているロブロックスです。ロブロックス内に「ナイキランド（NIKELAND）」を開設し、ゲームの作成や他のプレイヤーが作成したゲームを体験したり、またアバターが着用できるナイキのアイテムも用意したりしています。

どのメタバースをD2Aのプラットフォームとして選択するかは、今後はより重要になってくるでしょう。メタバースによっては、自社のイメージに合わなかったり、あるいは商品がユーザー（アバター）に訴求しない、といったことも起こってきます。

逆に、さまざまな企業にD2Aのプラットフォームとして選択されるようなメタバース作りが、今後のメタバースには必要になってくるはずです。

ナイキが選んだのは、前述したように「ゲーム版ユーチューブ」とも呼ばれているロブロックスでしたが、実はこのロブロックス内では、ナイキ以外にも、たとえばグッチ（GUCCI）がグッチ・ガーデン・オン・ロブロックス（GUCCI GARDEN ON ROBLOX）やグッチ・タウン（GUCCI TOWN）といったスペースを開設しています。ここにはグッチショップがオープンされており、アバターが着用できる3D仕様の服や、あるいはバッグといったデジタルアイテムがそろっており、これらを購入できるようにもなっています。

最近では10代の子どもたちが、クリスマスプレゼントに親にゲームやお金をねだるのではなく、これらのメタバース内でアバター向けに販売されているアイテムをねだることも多くなってきているそうです。

さらにグッチ・タウンでは、さまざまなアクティビティに参加することで、「GG Gem」という仮想通貨を得られるようになっています。

D2Aによって、現在新しいマーケットがメタバース内で急激に成長しようとしています。この覇権を握るのは、従来のビッグ・テックなのか、あるいは新しいテック企業なのか、予断を許さない状況です。

メタ・プラットフォームズはメタバースで減収

ナイキやグッチがD2Aのプラットフォームとして選択したロブロックスは、04年にデイビット・バシュッキとエリック・カッセルによって設立されました。もともとはダイナブロックス（DynaBlocks）という名前でしたが、翌05年にロブロックスと社名を変更しています。

このロブロックスが大きく注目を集めるようになったのは、やはりコロナ禍によるものでしょう。21年3月にはニューヨーク証券取引所（NYSE）に上場しましたが、このとき4兆円の時価総額を記録しています。

前述のように、ロブロックスはトップページに並んでいるゲームを自由にプレイできるだけでなく、ユーザー自身が作成したオリジナルのゲームを公開することもできます。これによってユーザーは収益を得ることも可能で、この点が「ゲーム版ユーチューブ」と呼ばれる由縁です。

また、ロブロックスはゲームで使うアバターの衣装を販売することでも利益を得ており、アメリカでは「メタバースの本命」と目されています。ロブロックスのビジネスモデルは、

エンタメ×ゲーム×ソーシャルの組み合わせです。

今のところロブロックスがメタバースの本命と目されていますが、アップルがＶＲ・ＡＲ端末を発売すれば、この点はどうなるかわかりません。アップルの製品はユーザーインターフェイスが優れており、同社が本格的にメタバースに乗り出してくれれば、ロブロックスの牙城が崩れることは容易に想像できます。

アップルのティム・クックＣＥＯも、メタバースには興味を示しており、直近の決算発表にはすでにアップストア（App Store、アップルのモバイル端末向けのアプリストア）で1万4千本のＡＲアプリが提供されていると記載されていました。

こうなると、**アップルがいつＶＲ・ＡＲ端末を出すか、その時点がメタバースの大きな転換点になる**とにらんでいます。

予測では、ＶＲヘッドセットを23年春に発売するとも噂されていましたが、これは延期されたようです。情報筋によれば、このＶＲヘッドセットには高精度なカメラと高解像度のディスプレイが搭載され、価格は3千ドル、日本円で約40万円になると噂されています。

メタバースという新しい分野に、それもアップルがＶＲヘッドセットを投入するとなれば、マニアだけでなく一般にも十分興味深く、高価格でも購入するユーザーは少なくないともいえますが、それにしてもメタバースをすぐにでも楽しみたい10代、20代のユーザーには手が出しにくい価格です。

一方、社名まで変更して本腰を入れているメタ・プラットフォームズですが、状況はよくありません。これまでのSNSであるフェイスブックが、Z世代（90年代後半から2000年頃に生まれた世代）からの支持を失ってきているからです。

本章の冒頭に、メタのここ6年間の売上高と営業利益の推移のグラフを掲載しましたが、23年2月に発表された22年度第4四半期の業務および通期の業績では、XRデバイス開発やメタバース構築に取り組む「リアリティラボ（Reality Labs）」部門では、通期の売上が21億5900万ドルであったのに対し、損失は137億1700万ドルにも達していました。

メタバースという有望分野に乗り出したメタですが、ここが正念場といえるかもしれません。

メタバースは2030年までに5兆ドルの価値まで成長する

メタ・プラットフォームズがメタバースに乗り出したのは、2021年になってからです。同年7月、まだ社名もフェイスブックだった頃、同社はメタバースに対して約5千億円を投資する計画を明らかにしています。

実際8月には、ホライズン・ワークルーム（Horizon Workrooms）をリリースしています。これはバーチャルな会議室で、同社のVRゴーグルであるオキュラス・クエスト2（Oculus Quest 2）というヘッドセットを着けて参加することで、VR会議を行えます。

21年といえば、コロナ禍真っ最中。外出が制限され、日本でもリモート会議やリモートワークなどが働き方の大きな部分を占め始めていました。ズーム（Zoom）やマイクロソフト・チームズ（Microsoft Teams）といったリモート会議用のアプリが多くの企業で利用されていました。

このような状況の中で、フェイスブックはバーチャル会議のサービスをリリースし、しかも2カ月後の10月には社名さえも「メタ・プラットフォームズ」に変えてしまったのです。

もちろん、業績が悪化しつつあるSNSのフェイスブックよりも、今後の成長が見込まれるメタバースにいち早く取り組み、事業の中心に据えようという期待は明らかでした。マーク・ザッカーバーグCEOは、メタバースにとって重要なのは「没入感」で、リアルではないバーチャル空間でも遠隔地の人と空間を共有し、リアルなコミュニケーションと変わらない感覚が得られる必要がある、と考えているようです。フェイスブックに代わる

■図4-6　メタバースの市場規模予測

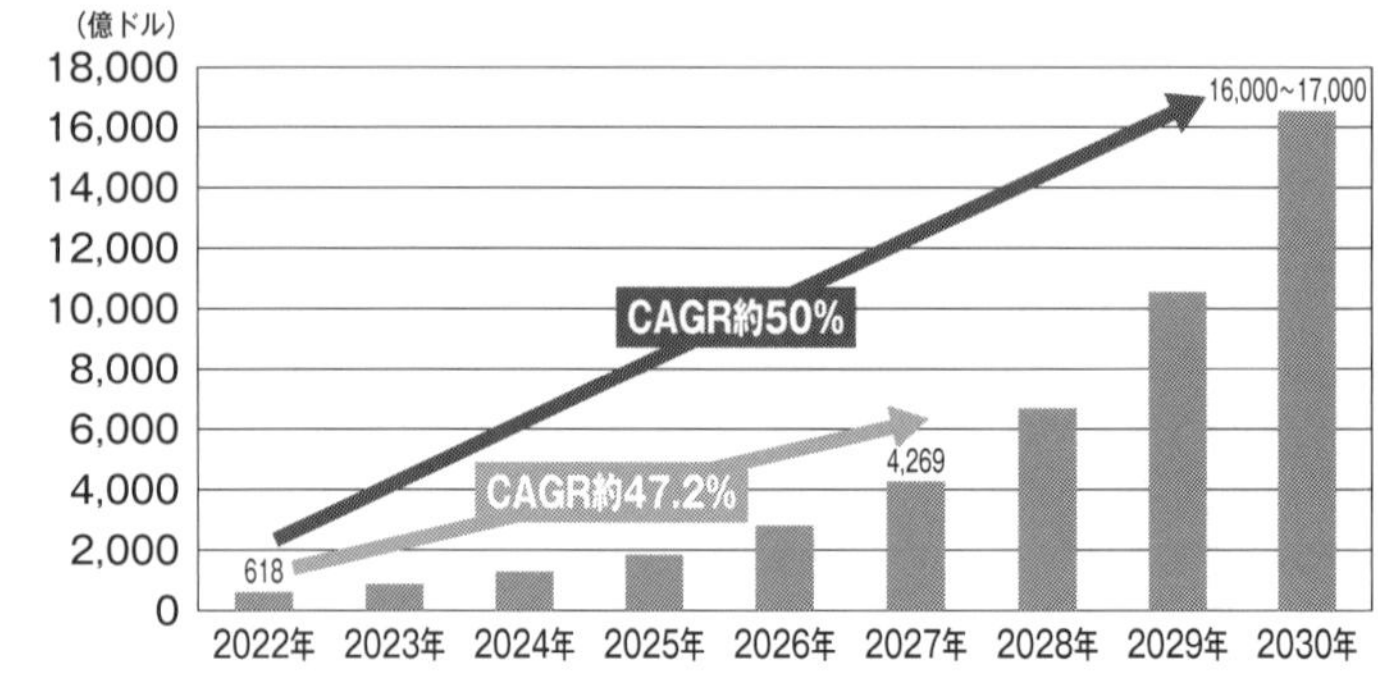

出所：マーケッツアンドマーケッツ社の調査レポートをもとに作成

次世代の交流ツールとして、メタバースが最適解だと考えているのです。

実際、メタバースは新しいツールとしてばかりか、まったく新しいマーケットとして魅力にあふれています。世界的な市場調査会社マーケッツアンドマーケッツ（MarketsandMarkets）社の調査レポート（22年5月発表）には、メタバース市場は22年には６１８億ドル（約８兆円）、27年には４２６９億ドル（約56兆円）に達すると予想されています（図４―６）。

さらにアメリカの大手コンサルティング企業マッキンゼー・アンド・カンパニーの予測では、２０３０年にはメタバースの市場規模は5兆ドル（約６５０兆円）に達する可能性がある、との発表もあります。

以前からのＳＮＳとこれからのメタバースとは、

実はそれほど違いはないかもしれません。もちろん、そこでのルールやできることなどは異なってきますが、SNSが友人や知人とのコミュニケーションを深め、新たな出会いを創出する場であるとすれば、メタバースもまた他のユーザーとコミュニケーションを深め、新しい出会いを創出する場です。ゲームができたり他のユーザーと行動したり、メタバースにはこれまでのSNSにはなかった魅力もありますが、コミュニケーションを深めるという点では、道具が異なるだけでそれほど違いはありません。

だからこそ、ザッカーバーグはメタバースに限りない魅力を感じとったのかもしれません。

広告からの脱皮

メタ・プラットフォームズの売上は、広告収入が全体の95%以上を占めています。グーグルとも近い収益構造になっていますが、グーグルの広告とメタの広告とは大きく異なっています。

グーグルが検索連動型広告であるのに対し、メタは**ターゲティング広告**です。SNSであるフェイスブックに参加するとき、ユーザーは性別や年齢、学歴、勤務先、趣味、交際状況、住んでいる地域といった情報を入力します。そんなデータが、現在29億５８００万人分蓄積されているのがメタなのです。

このデータをもとに、広告のクライアントは自社の製品やサービスに合ったユーザーを細かく絞り込んで広告を出せるのです。ターゲティング精度が高いのです。

ところがフェイスブック人気に陰りが見え、特に10～30代の若い世代が、フェイスブック離れを起こしてきています。前述のように、10年前の２０１２年には10代の94％がフェイスブックに参加していたものが、21年には27％まで低下しています。これではいくら広告効率が良くても、クライアントとしては先行きが不安です。

さらに18年、フェイスブックから約８７００万人分の個人情報が流出するという事件がありました。この事件で、フェイスブックに対する社会的な批判が一気に高まりました。翌19年には、米連邦取引委員会が個人のプライバシー侵害を理由に、フェイスブックに50億ドルの制裁金を科しています。

20年に開催されたＣＥＳ ２０２０では、「チーフプライバシーオフィサー（ＣＰＯ）」によるパネルディスカッションが開催されましたが、この耳慣れない役職からもわかるように、**近年アメリカでは個人のプライバシー重視の機運が一層高まってきています**。

このパネルディスカッションで、フェイスブックからはエリン・イーガンＣＰＯが登壇し、新しい「プライバシー診断ツール」を紹介しながら、自分たちはプライバシー方針を遵守している、またフェイスブックはサービスプロバイダーとして広告を売っているのであって、個人データを売っているわけではないと発言したところ、会場からは大きなブーイングが飛んでいました。

フェイスブックは、良くも悪くも広告収入に大きく依存する企業です。その状況を是正し、広告から脱皮するためにも、メタバースという事業展開が必要不可欠でしょう。5兆ドルという膨大な市場にどう挑戦していくのか。その挑戦と結果によって、メタ・プラットフォームズというビッグ・テックの命運が大きく変わっていくのです。

第5章

アップルのAR・VR端末発売で本当のメタバース元年になる

GAFAM + Tesla

世界スマートフォン市場調査、アップルが営業利益シェア85%でトップに

スティーブ・ジョブズとスティーブ・ウォズニアック、ロナルド・ウェインの3人によって1976年に創業されたアップル（Apple Inc.）は、ウォズニアックが開発したコンピュータを販売するための会社でした。それは創業時にアップル・コンピュータ（Apple Computer Company）という名前だったことからもわかります。

このことから、アップルはコンピュータメーカーであり、それに付随するソフトウェアの開発企業だと思っている人も少なくありません。

実はアップルは、07年にアイフォーン（iPhone）を発売して以来、**世界トップのモバイル機器メーカー**なのです。10年にはアイパッド（iPad）の発表会で、ジョブズは次のように語っていました。

「アップルは、いまや世界最大のモバイルデバイス企業になった。ソニーやサムスン、それにノキアよりも大きなモバイルデバイス企業だ」

このときからでさえ、すでに10年以上が経過しています。ジョブズ亡き後、ティム・ク

ックCEOはこの路線を踏襲。いまやアップルは、かつての名機マッキントッシュ（Macintosh）のメーカーとしてよりも、アイフォーンやアイパッドのメーカーであり、世界最大のモバイルデバイス企業に成長しています。

このことは、数字にも如実に表れています。香港に拠点を置くカウンターポイント・テクノロジー・マーケット・リサーチ（Counterpoint Technology Market Reserach）社の調査によれば、22年第四半期の世界のスマートフォン市場調査結果で、コロナ禍やマクロ経済環境の悪化の影響があったため、全体的にスマホの出荷台数は18％減少し、13年以来の低水準で3億3９０万台にとどまっています（図5-1）。

メーカー別では、アップルが前年同期比14％減の7千万台、サムソン（Samsung）が16％減の５８３０万台、シャオミ（Xiaomi）が26％減の３３２０万台などとなっています（図5-2）。

出荷台数ではアップルも減少してはいるものの、営業利益で見れば全体の85％という圧倒的なシェアを占めていました。これはスマートフォン企業としては過去最高のシェアを記録したことになります。

コロナ禍で、中国にある主要な組立てパートナー企業が一時的に主要工場を閉鎖するなどアップルにとっても厳しい年でしたが、それがなければアイフォーンの出荷シェアも、

■図5-1　2022年10～12月期の世界のスマホの出荷台数（単位：万台）

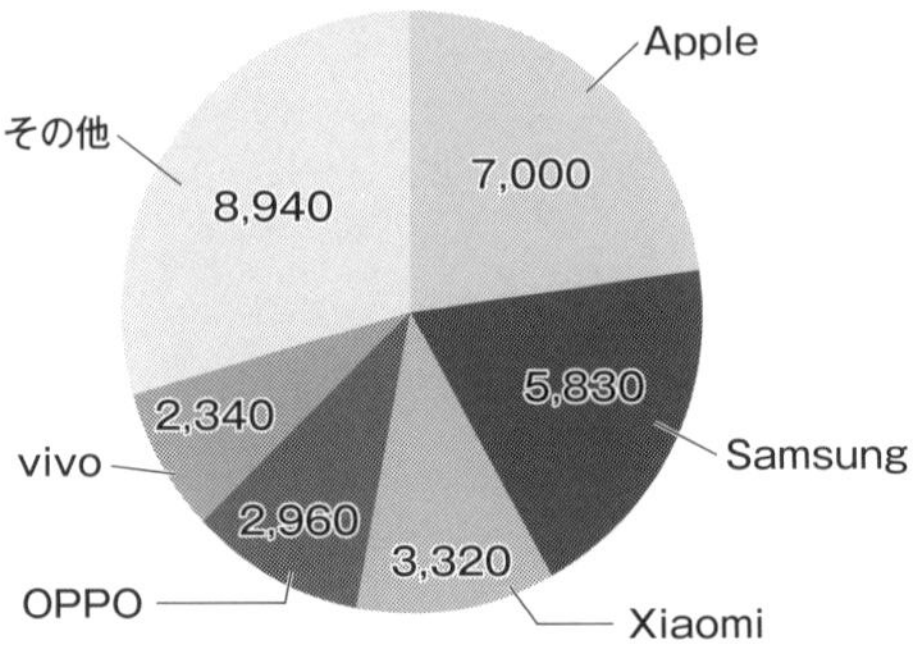

出所：Counterpoint Technology Market Reserachの調査より作成

■図5-2　スマホの上位５社出荷台数の推移（単位：百万台）

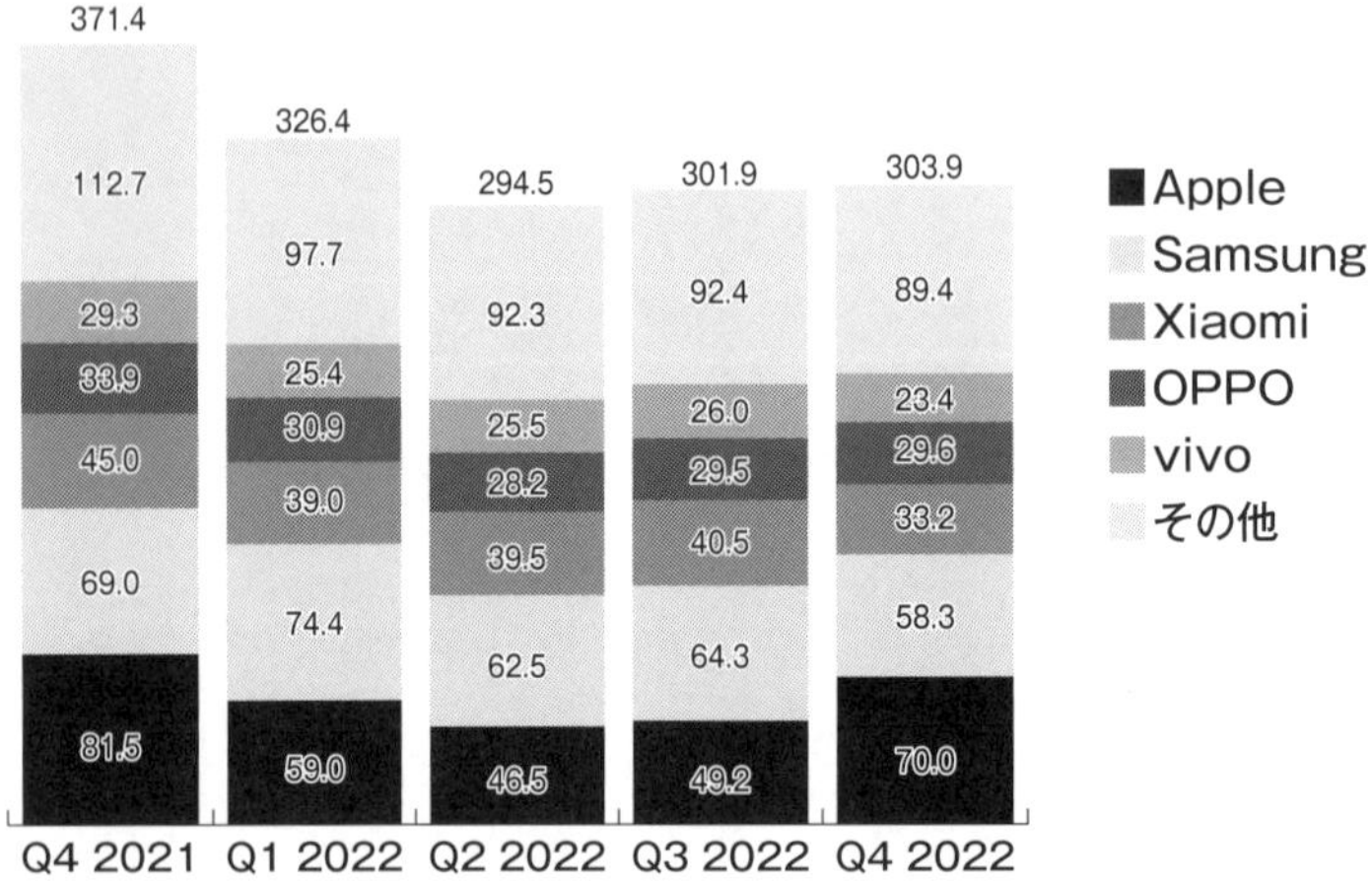

出所：「Counterpoint Research Quarterly Maket Monitor Prelim data, Q4 2022」をもとに作成

さらに営業利益ももっと高かった可能性があると、カウンターポイント・テクノロジー・マーケット・リサーチ社では分析しています。

ユーザーを囲い込むアップルのエコシステム

世界のスマホ事情から見れば、アップルはこのスマートフォン事業が好調だから強いと考えがちですが、実際にはアップルの強さは別の部分にあります。

というのも、アップルにとってスマホ、つまりアイフォーンの売上高は、全体の売上高の中で54・1%（2023年1〜3月期）と大きな比率になっていますが、ここ数年は他のサービス事業が急成長しているのです。

もともとアップルは、パソコンメーカーとして見ると特殊なメーカーでした。アップルの最初の製品であるアップルⅠ（Apple Ⅰ、1976年）、その後発売してアップルを急成長させたアップルⅡ（Apple Ⅱ、1979年）といったコンピュータは独自路線を歩んでいました。そこに現れたのがＩＢＭ ＰＣ（1981年）で、これに互換するパソコンが世界中のメーカーによって作成・販売され、価格も下がり普及したのです。パソコンを動作させるシステムソフトであるＯＳも、ＩＢＭ ＰＣ用のＭＳ-ＤＯＳが利用され、これを改良・発展させたウィンドウズ（Windows）へと変わってきました。

ところがアップルの発売するパソコンは、アップルからマッキントッシュ、そしてマック（Mac）へと発展してきましたが、ＯＳはＯＳ Ｘ、ｍａｃＯＳへと発展しています。同じパソコンでも、ＰＣとマックとではＯＳが異なっており、当然ながら利用できるソフトウェアやアプリケーションも異なってくるのです。

パソコンメーカーとして成長してきたアップルは、２００１年に携帯音楽プレイヤーのアイポッド（iPod）を発売し、さらにアイポッド用の音楽管理ソフトアイチューンズ（iTunes）を配布することで、パソコン以外の製品の売上を伸ばしています。初期のアイポッドはマックでしか利用できず、アイチューンズもマック用でした。アイポッドで音楽を楽しみたいユーザーは、必然的にアップル製品に移行していくことになったのです。

07年にはアイフォーンが発売されましたが、アイフォーンで利用するアプリは、アップストアでのみ配布・販売されており、独自にアプリをインストールすることはできません。

これらのことからもわかるように、アップル製品を利用するためには他のアップル製品が必要になったり、機器同士を連携させて機能させたりするためには、同じアップル製品のほうが便利で快適なのです。

これを**アップルのエコシステム**と呼んでいます。アイフォーンやアイパッド、アップル

■ 図5-3　アップルの売上高ポートフォリオ

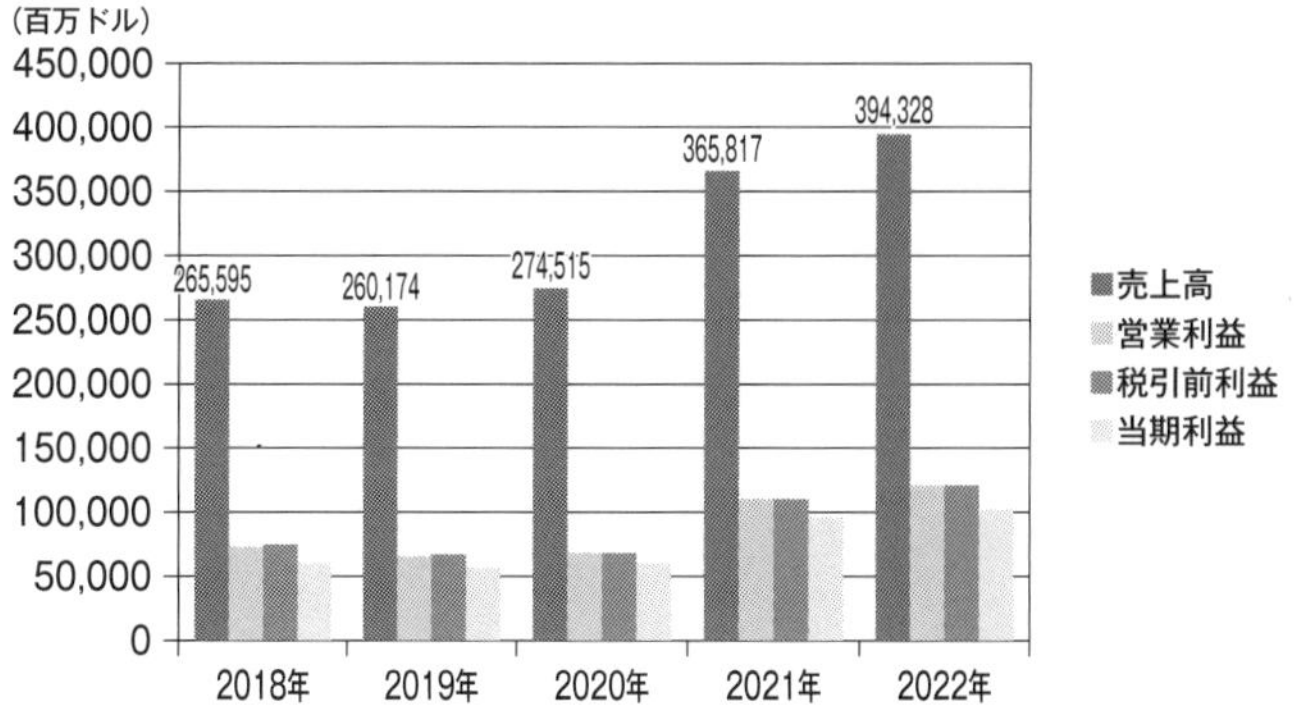

ウォッチ、マックといった製品を、同じアップルＩＤでログインして利用すれば、デバイス間でアプリや音楽、写真などのデータを共有して利用できるのです。

　また、アップル製品は異なるデバイスでも、ＯＳの操作が統一されており、同じような使い勝手のため操作がしやすくなっています。

　このアップルのエコシステムによって、アップルはユーザーを囲い込むことに成功しています。特にアイフォーン向けのアップストア、それに音楽管理・配信のアイチューンズは、アプリケーションと音楽、それに映画やビデオなどのデジタルコンテンツのプラットフォームとなり、これによってアップルのビジネスモデルの構築に成功し、売上高では21年に前年比１３３％、22年は前年比１０８％となっています（図５-３）。

■図5-4　アップルのサービス事業の売上高推移

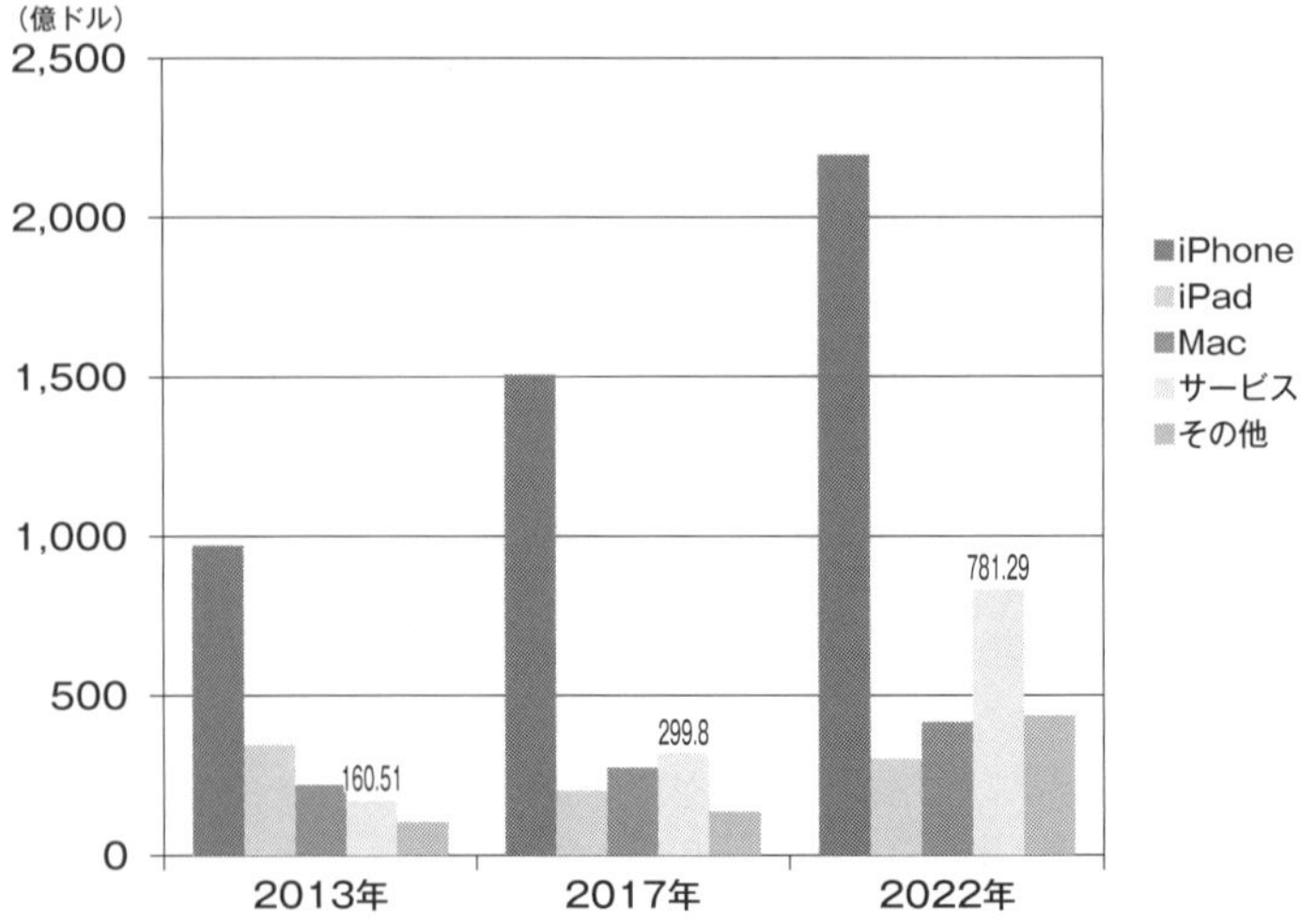

■図5-5　アップルの2022年度部門別売上高（億ドル）

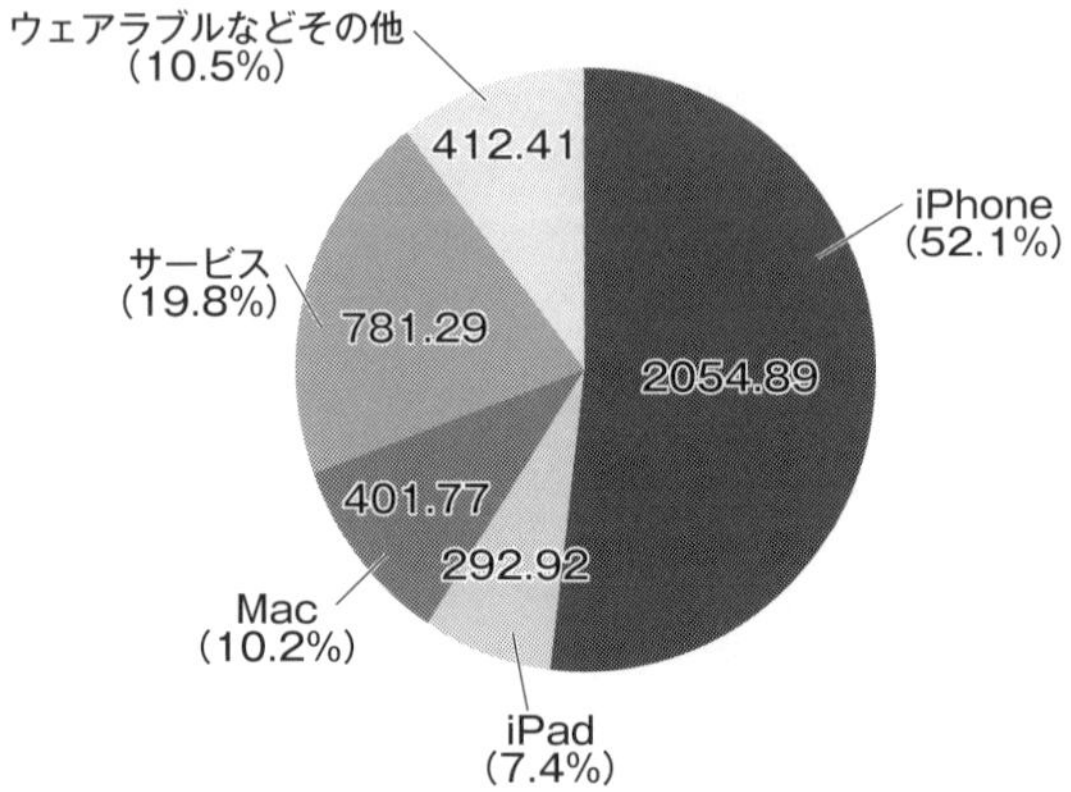

アップルのアプリ、音楽、ビデオといったデジタルコンテンツの販売はサービス事業として計上されていますが、この部門の売上が年を追うごとに増加しているのです。13年にはサービス事業の売上高は全体の9・4%だったものが、22年には19・8%まで伸びてきています。

2022年の部門別売上高の構成を見ると、アイフォーンが全体の52%と半分以上を占め、続いてサービス部門が約20%、マック（10%）、アイパッド（7%）と続いています（図5-5）。

ただし、サービス事業にはアップルストアやアイチューンズに加え、アップルケア（AppleCare）やアップルペイ（Apple Pay）などの売上も含まれています。特に近年ではアップルペイの売上も増加していると予想されるので注意が必要です。

急成長しているサービス部門

アップルは、アイポッドやアイフォーンという製品のためにアイチューンズ、アップストアといったプラットフォームビジネスを展開してきました。アイチューンズ（現ミュージック）は音楽の管理に欠かせないアプリで、以前はアイチューンズでしたが、それがミユージックになり、ミュージックの中にアイチューンズ・ストアが入り、サブスクが利用できます。

また、以前はこのアイチューンズで音楽やテレビ、ビデオの配信サービスも行っていましたが、19年からはそれぞれのサービスが分離し、アイチューンズはなくなり、アイチューンズ・ストア、ミュージック、TV、ポッドキャストに分かれました。

もともとアップルには、映画やビデオ、ドラマなどが楽しめるアップルTVという製品があります。これはディスプレイやテレビ受像機と接続し、無線LANなどでインターネットに接続することで、TVで配布・販売されているドラマや映画、ビデオといったものが楽しめる独立した製品です。

この映像関連のコンテンツ販売を、アップルはTVというプラットフォームビジネスに発展させたといっていいでしょう。TVで配信されている映画やビデオなどは、このアップルTVのほか、マックやアイフォーン、アイパッドなどでも楽しむことができます。

もちろん、すでにネットフリックス（Netflix）やアマゾン・プライム・ビデオ、フール―（Hulu）といった、映画やドラマを配信するサービスがあり、かつてのアップルTVの優位性はなくなっています（図5-6）。

実際、日本国内で利用できる動画配信サービスの中で、アップルのTVが占める割合はわずかでしかありません。世界的に見ても、ネットフリックスやアマゾン・プライム・ビデオが大きなシェアを誇っていると予想されます。

マーケティングサービスのジェムパートナーズ（GEM Partners）が発表している「動画配信（VOD）市場5年間予測（2023―2027年）レポート」によれば、数ある動画配信サービスのうち22年の市場シェアは、ネットフリックスが22・3％でトップ。以下、U-NEXT、アマゾン・プライム・ビデオ、DAZNと続き、アップルTVはその他のサービスとしてまとめられています。

ドイツにあり、複数の動画配信サービスを串刺し検索できるアプリを配布しているジャストウォッチ（JustWatch）の調査（21年）では、アメリカでの動画配信サービスの市場シェアは、ネットフリックスが28％、アマゾン・プライム・ビデオが20％、ディズニープラス（Disney+）が14％といった結果で、アップルTVはわずか3％でしかありませんでした。

ただし、同じジェムパートナーズのレポートには日本国内の動画配信サービスの市場規模も報告されており（図5-7）、21年には4614億円、22年には5305億円と15％もの伸びを示していました。さらに5年後の27年には、7487億円まで拡大すると予測されています。

■ 図5-6　定額制動画配信サービス別国内市場シェア推移

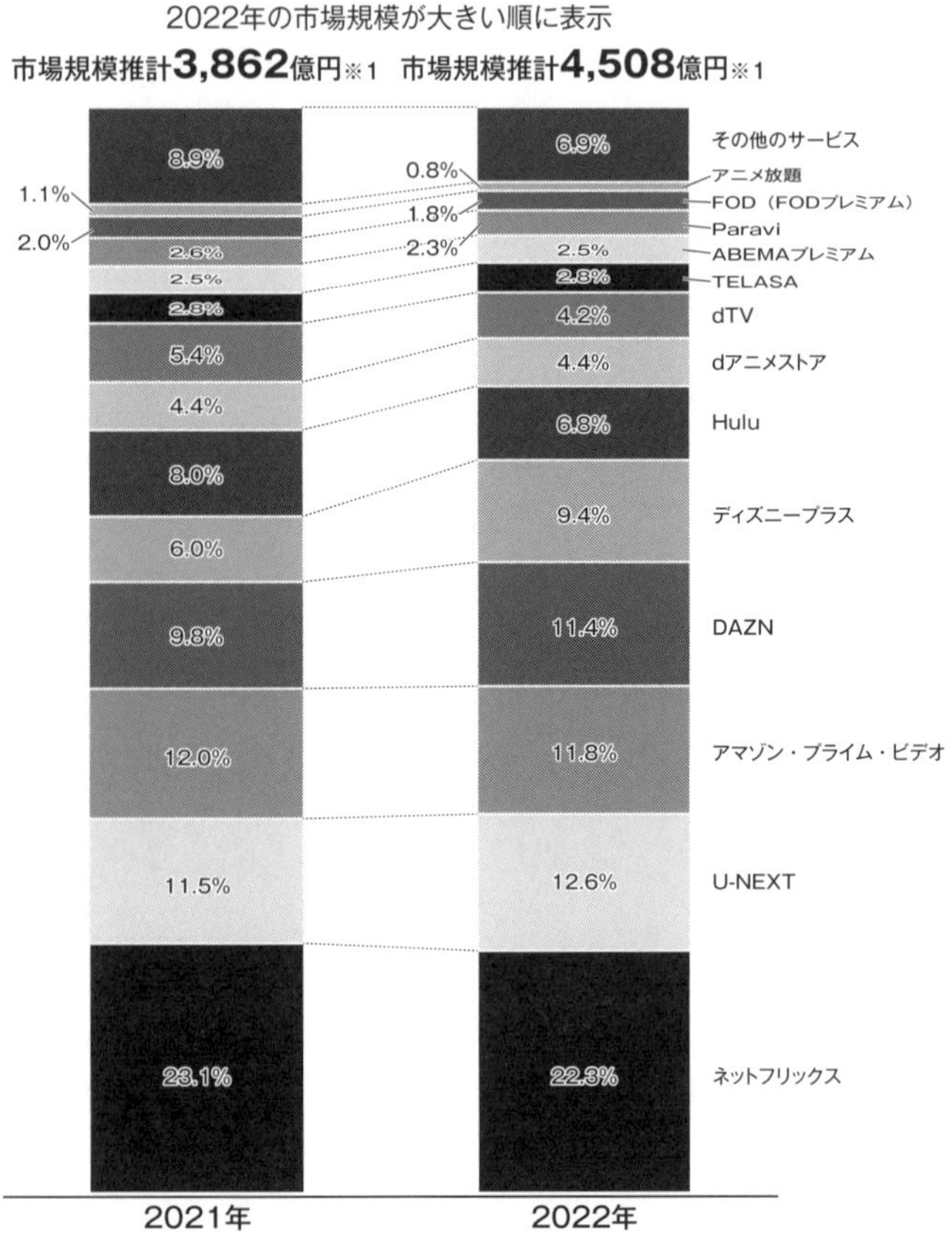

※1：契約形態に関わらず、消費者が動画配信サービス事業者に支払った金額の総額
資料）GEM Partners「動画配信／放送／ビデオソフト市場 ユーザー分析レポート」「定額制動画配信サービス ブランド・ロイヤリティ調査」「SVOD利用プラン調査」、総務省統計局「人口推計」、国立社会保障・人口問題研究所「日本の将来推計人口」、総務省「通信利用動向調査」、米国The DIGITAL Entertainment Group「Home Entertainment Report」および各社IR、報道発表資料、Webサイトを用いて分析
出所：「動画配信（VOD）市場5年間予測（2023-2027年）レポート」をもとに作成

■図5-7　動画配信（VOD）サービス国内の市場規模推計の推移と予測

動画配信市場規模：「定額制動画配信（SVOD）」「レンタル型動画配信（TVOD）」「動画配信販売（EST）」の合計

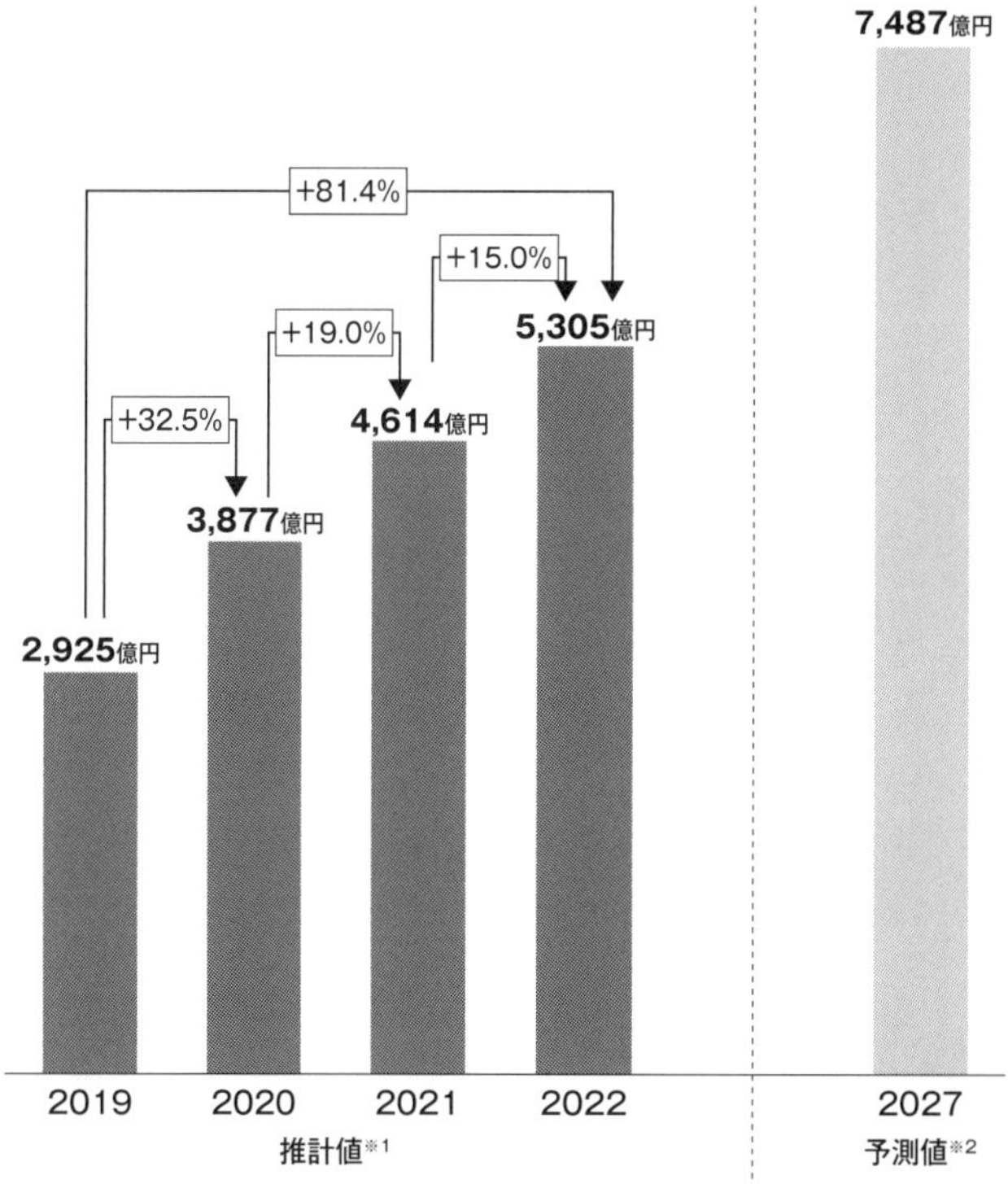

※１：契約形態に関わらず、消費者が動画配信サービス事業者に支払った金額の総額
※２：消費者調査の結果、日本と米国の動画配信のこれまでの普及実績と映像ホームエンタテイメント全体におけるDVD・BD市場と動画配信の比率、また新型コロナウイルスの流行の影響を踏まえ、「ベース」「楽観」「悲観」の3つのシナリオで試算。本値は「ベース」シナリオによる

資料）GEM Partners「動画配信／放送／ビデオソフト市場 ユーザー分析レポート」「定額制動画配信サービス ブランド・ロイヤリティ調査」「SVOD利用プラン調査」、総務省統計局「人口推計」、国立社会保障・人口問題研究所「日本の将来推計人口」、総務省「通信利用動向調査」、米国The DIGITAL Entertainment Group「Home Entertainment Report」および各社IR、報道発表資料、Webサイトを用いて分析
出所：「動画配信（VOD）市場5年間予測（2023-2027年）レポート」をもとに作成

この成長分野で、すでにTVという動画配信プラットフォームを持つアップルが、手をこまねいているはずがありません。アップルの売上の中でも急成長している分野だけに、**いずれプラットフォームの利点を活かして巻き返してくる可能性も高い**と予想できます。

ユーザーエクスペリエンスで囲い込む

アイフォーンに代表されるように、アップルの製品はデザインが洗練されていて、しかも使いやすいと評判です。

第2章で述べたように、世界のスマートフォン市場ではアンドロイドが72・27%、アイフォーンは27・1%となっています。アメリカや日本が特殊で、日本ではアンドロイドが31・39%、アイフォーンが68・5%と逆転しています。

モバイル機器専門のマーケティング機関MMD研究所の調査によれば、アイフォーン率の最も高いのは10代の女性で、84・1%がアイフォーンを利用しています。次いで20代女性の70・2%、10代男性の70・1%となっています（図5-8）。

若い世代、特に女性のアイフォーン利用率が高いことが、日本でのアイフォーン率の高さに影響を与えているのでしょう。スマホでは同じ機種で同じアプリを利用したい、とい

■図5-8　利用しているスマートフォン

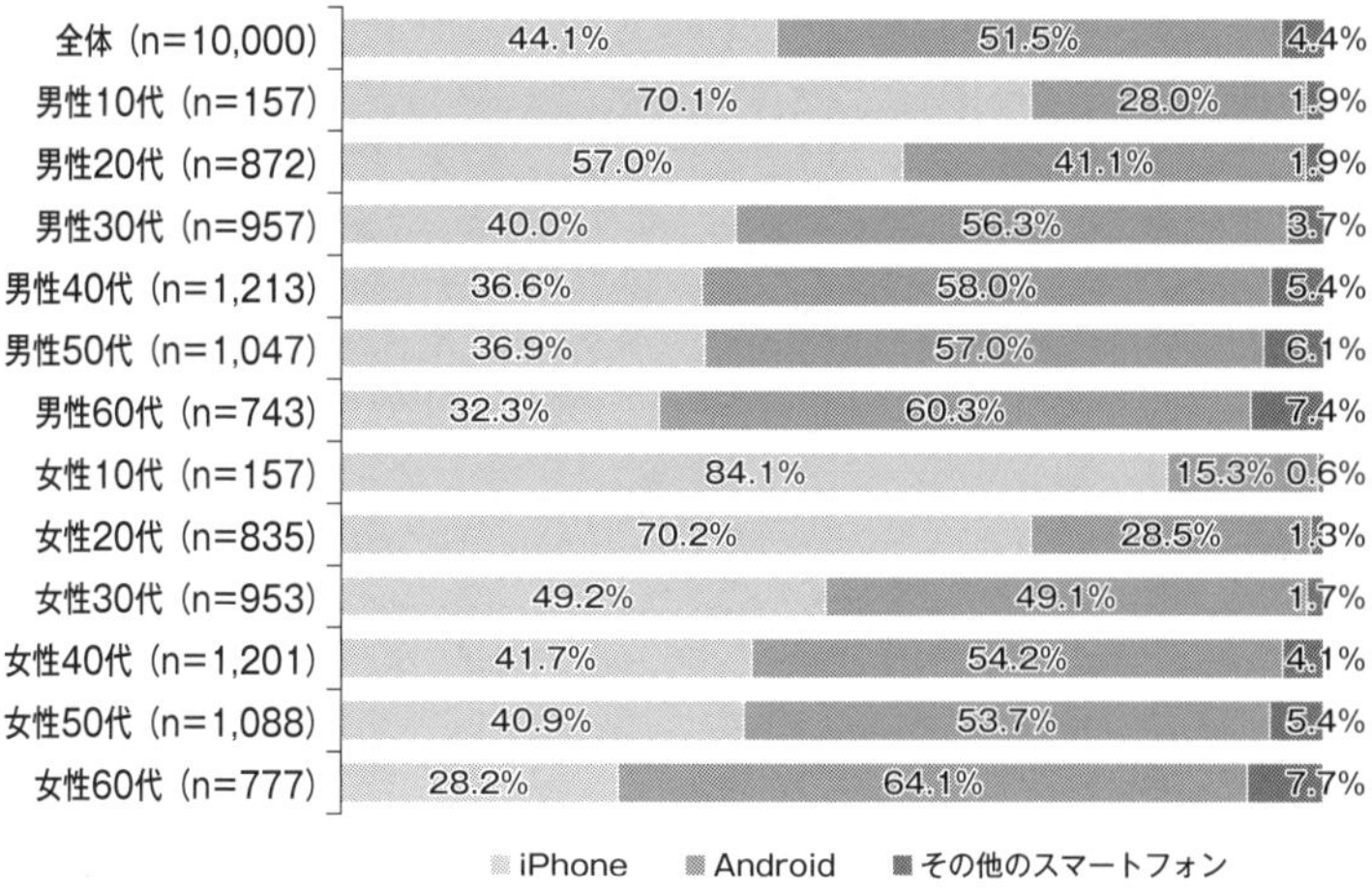

出所：MMD研究所「2022年５月スマートフォンOSシェア調査」より

ったユーザー心理もあります。

では、なぜ若い女性がアイフォーンを好んで利用しているのでしょうか。それにはいくつかの理由があります。各通信キャリアがアイフォーンとセットで、しかも24〜36回払いなどの月割で販売しているため、割安感もあるのでしょう。

しかし、それ以上に、**使いやすさや安全性**といった点で、アイフォーンを選ぶユーザーも少なくありません。アイフォーンで利用するアプリは、アップストアでのみ配布されますが、このアップストアに並ぶアプリは、アップルの独自審査を通過したものだけに限られます。ユーザーが怪しげなサイトからダウンロードしてインストールする、といったこともできません。

また、**ユーザーエクスペリエンスが優れていること**も、アイフォーンを選択する上での大きな理由になります。アップルの製品は、アイフォーンに限らずアイパッドやマックにいたるまで、デザインに優れ、使いやすいと評判です。マニュアルレスで、少し触っているだけで使い方がわかってくるのです。

アップルは、このユーザーエクスペリエンスに一貫してこだわり続けている企業です。スティーブ・ジョブズはかつて「1時間半ではなく1時間で洗濯が終わることをいちばん重視するのか。服の肌触りがとてもソフトで長持ちすることをいちばん重視するのか。水の使用量が4分の1で済むことを重視するのか。こういう話を夕食のたび、2週間くらい話し合ったよ」(ウォルター・アイザックソン『スティーブ・ジョブズ』(講談社))と語っています。アップルという企業は、よくも悪くもこのジョブズの〝こだわり〟を継承しています。

パソコンに初めてマウスを導入したように、**「使いやすさ」や「わかりやすさ」を追求する企業**です。これはあらゆるユーザーエクスペリエンスの土台だといってもいい要素です。

スマホの機能だけでいえば、最近のアイフォーンもアンドロイド端末もほとんど差はありません。しかもアイフォーンは、他のアンドロイド端末と比較すれば高価です。それでもユーザーがアイフォーンを選ぶのは、アップルがアイフォーンをブランド化しているからに他なりません。

価格設定が高めの製品は「プレミアム・ブランド」と呼ばれますが、アップルは自社の確固とした企業イメージを確立し、アイフォーンやアイパッドなど自社製品をブランド化することに成功しているのです。

そのプレミアム・ブランドの製品を持ち、使うことで、ユーザーは「気持ちよさ」や「楽しさ」を感じています。これがアップルのユーザーエクスペリエンスなのです。アップルは、この徹底したユーザーエクスペリエンスによって、ユーザーを囲い込み、ファンを増やすことに成功しているわけです。

プライバシー意識の高まりで利用者情報活用を制限

アイフォーンが他のスマホと異なる点のひとつに、**本体にインストールして利用できるアプリは、すべてアップストアによって管理されている**という点があります。

アンドロイド端末も、グーグルのグーグル・プレイ（Google Play）で配布されており、グーグルによって管理されていますが、アンドロイド端末では他のサイトからダウンロードしたアプリのファイルを、ユーザー自身でインストールして利用することもできるようになっています。

また、グーグル・プレイでダウンロードしてインストールしたアプリの中には、ユーザーの個人データを勝手に抜き出したりするものもあり、ときどき問題になっています。

この問題を受け、グーグルは22年2月、スマホアプリの利用情報を広告配信のために使う機能を制限することを明らかにしています。これは利用者のプライバシー保護と、精度の高い広告配信を実現するための措置だと説明しています。

一方、アップルはすでに20年のCES 2020で開催された「チーフプライバシーオフィサー・ラウンドテーブル：消費者は何を求めているのか？（What Do Consumers Want?）」と題したパネルディスカッションで、同社のジェーン・ホバースCPOは、アップルでは「プライバシーは基本的人権」であるとし、アップルのプライバシー保護の方針は「**消費者を運転席に置くこと**」と表現していました。

これはユーザーが個人データを自ら管理し、さらに個人データをどのように扱わせるかについても自ら選択する、という意味です。もともとアップルでは、ティム・クックCEOの方針で、厳格なプライバシー基準を設け、ユーザー保護をうたっていました。

さらにホバースCPOは、**ユーザーから収集する個人データを最小限に抑え、活用する個人データも最小限に抑える「データ・ミニマイゼーション」という概念が、アップルのプライバシー方針の中で極めて重要な位置を占めている**と語っています。

ビッグ・テックの特徴のひとつに、膨大な数の個人データを保有するという点がります。この個人データをビッグデータとして分析・活用することで、マーケティングに活かしたり、データをもとに広告を配布したりする、といった活用法があります。

ところがアップルでは、これらの個人情報を極力ミニマムにしていこうとしているのです。たとえばアイフォーンやアイパッドでは、内蔵マイクに「ヘイ、シリ（Siri）」と呼びかけ、天気予報を尋ねたり音楽を再生させたりする機能があります。天気予報を尋ねれば、ユーザーの現在地がわかります。しかしアップルでは、ユーザーがいる場所を広域レベルで把握するだけで、より細かい位置情報は取得しないことになっています。

一方、ユーザーがシリに近所のレストランを尋ねると、アップルはユーザーの位置情報をもとに適切なレコメンデーションを行います。このときはユーザーの位置情報という個人データを取得する必要があります。

アップルでは、ケースによって個人情報を取得するものの、それは用途に応じて必要最低限のものしか収集しない方針になっているのです。

アップルは19年のCES 2019で、ラスベガスの街の中心に「アイフォーンの中で起こることは、アイフォーンの中に残ります（What happens on your iPhone, stays on your iPhone.）」という広告を掲示していました。

この厳格なプライバシー重視の姿勢によって、ユーザーはアップルに信頼を寄せ、アップルというプレミアム・ブランドに好意を抱き、それがアップルの売上に結びついていくのでしょう。ビッグデータの時代にあって、このプライバシー重視の方針は、アップルの大きな武器ともいえるのです。

アップルのAR・VR端末発売で本当のメタバース元年になる

メタ（旧フェイスブック）がSNSからメタバースへと大きく舵を切ったのに対し、アップルからはメタバースへのラブコールが聞こえてきません。

アップルでは、すでにVRヘッドセットを23年春に発売する、といった噂が流れていました。本書執筆時ではこの噂はかき消えましたが、近いうちに必ず製品を出してくると予想されています。

もともとアップルでは、22年秋にティム・クックCEOがオランダのニュースメディア『ブライト（Bright）』のインタビューに答え、ARに高い関心はあるものの、「一般人にとってメタバースとは何なのかよくわからない可能性が高い」と語っています。もっともこれは企業のCEO特有の挑発かもしれません。

というのも、22年後半にはヘッドセット用コンテンツの開発や、AR・VR事業を強化するような人材の採用が伝えられているからです。アップルは秘密主義でも知られており、完全な製品が完成してからしか情報が流れてきません。

VRヘッドセットについても、完成品が出来上がり、出荷間近にならないと全貌が見えてこない可能性も高いのです。

しかし、アップルが本気を出してVRヘッドセットを発売し、メタバースに乗り出してくれば、それが本当の意味でのメタバース元年となるでしょう。

では、それはいつでしょうか。ズバリいえば、23年ではなく早くても24年以降ではないかと予想しています。というのも、ティム・クックCEOはあるインタビューで「ARなしの生活は間もなく考えられなくなる」と答えているからです。

メタバースは、一般人にはよくわからないと言い、一方ではARなしの生活は考えられなくなると言う。どちらが本音なのかはわかりませんが、**アップルがメタバースに乗り出**

すためには、メタバースに「住む」ほど長時間滞在できるような環境が整う必要がある、と考えているようなのです。

メタバース空間に長時間滞在するとき、ユーザーはプライバシーや個人情報の保護に力を入れているアップル製品を利用し、そのためにはAR・VRゴーグルではなく、もっとアップルらしい製品でアクセスできる環境を目指している、と考えられます。

アップルでは現在、そのための製品開発と、メタバースに乗り出すタイミングを見計らっているのでしょう。これが可能になれば、7年後の5兆億ドルという膨大なメタバース市場の覇権を握るのは、アップルになる可能性も高いのです。

アップルのヘッドセット、視線と手の動きで操作可能――約3千ドル

本書執筆時には実現しませんでしたが、23年春にも出てくるだろうと噂されていたアップルのVRヘッドセットは、アップルが考えるメタバースを快適に泳ぎ回るための画期的な製品となると予想されていました。

VRヘッドセットとはいっても、アップルが開発しているのはMRヘッドセットだとい

われています。ＭＲというのは複合現実（Mixed Reality）で、現実世界（リアル）と仮想世界（バーチャル）とを複合・融合させ、相互にリアルタイムで影響し合う空間のことです。

メタバースでは、ＶＲ、ＡＲ、ＭＲといった用語が出てきますが、それぞれ次のような意味になります。

・ＶＲ（仮想現実）：ゲームなどに用いられている技術で、コンピュータグラフィックス（ＣＧ）や３６０度カメラなどで撮られた全周囲映像が体験できる。ゲームの世界に入って走ったり敵を追いかけたりするように、映像の世界に実際に入り込んだかのような体験が可能。ＶＲゴーグルだけでなく、スマホのソフトなどでもすでに利用されている。

・ＡＲ（拡張現実）：スマホゲームの『ポケモンＧＯ』でも利用されているもので、現実の世界に仮想の世界を重ね、現実または仮想世界を「拡張」する技術。現実の風景の上に、ＣＧキャラクターや３Ｄ映像などを重ね合わせ、まるで現実世界にキャラクターが現れたような感覚を味わえる。

・MR（複合現実）：現実世界と仮想世界を、もっと密接させた技術。VRやARでは、現れたキャラクターに触れることはできないが、MRならキャラクターの後ろに回り込んでみたり、上から見下ろす、下から見上げるなど、さまざまな表現が可能になる。キャラクターにタッチすることも可能になれば、もっと自由な複合現実が実現する。

アップルが開発していると噂されているMRゴーグルですが、このゴーグルはアイフォーンのOSの3Dバージョンを作るというもので、手の動きや眼球の動きにさえ追随するのを目指しているとされています。名前も「リアリティー・プロ」というのが有力で、価格はおよそ3千ドル（約39万円）に設定される見通しだといわれています。最近のアイフォーンに見られるように、競合する他社の製品と比較すると、アップルの製品は高額です。それでもデザインやコンセプト、使い勝手といったユーザーエクスペリエンスによって、唯一無二のプレミアム・ブランドの製品としてユーザーに受け入れられています。

それでもメタのオキュラス・クエスト2が5万円前後で販売されていることを考えると、約39万円に設定されているアップルのMRゴーグルは、それだけ画期的でインパクトのある製品なのでしょう。このアップル・ゴーグルの発売によっては、メタバースが大きく前進する可能性もあります。

アップルのヘルスケアが医療現場を変える

アップルが見据えているのは、メタバースばかりではありません。ここ数年のアップルは、ヘルスケア分野にかなりの興味を示し、力を入れています。

アップルのヘルスケア製品といえば、アップルウォッチが真っ先に挙げられます。初代アップルウォッチが発売されたのは、２０１５年４月です。前年の9月に発表された製品で、実はジョブズの後を継いでティム・クックがＣＥＯに就任（11年8月）して以来、初の新カテゴリーの製品です。

当時、すでにヘルスケア分野の製品としては、スマートバンドが数社から発売されており、スマートウォッチのカテゴリーの製品もいくつかありました。スマートバンドはリストバンド型のもので、スマートウォッチはより腕時計に似た形状のものです。

このスマートウォッチには、心拍センサーや加速度センサー、気圧センサー、ＧＰＳなどが搭載された製品もあり、タッチスクリーンやバイブレータを搭載。ブルートゥース（Bluetooth）や無線ＬＡＮなどでスマホやパソコンなどと接続し、データを記録・管理できるようになっています。

アップルウォッチは以後、何度か世代更新されていますが、18年に発売された第4世代のシリーズ4（Apple Watch Series 4）からは電子式心拍センサーが搭載され、心電図アプリによって心電図の計測も可能になっています。

アメリカでの死因のトップは心臓病です。食事や肥満、生活習慣がその大きな原因ともされていますが、アップルウォッチをしていれば常に心拍が監視され、異常値が計測されるとリアルタイムでメッセージが送られるようになっています。この機能のおかげで助かった、などというニュースがときどき報道されるほどです。

他社のスマートウォッチやスマートバンドが、歩数や心拍数の計測、それに睡眠状態のチェック機能などを搭載しながらなお、ウォッチの範疇を抜け出せない状態の中で、アップルウォッチはもはや「医療機器」とも呼べる水準にまで達しています。アップルウォッチはアメリカの政府機関である「ＦＤＡ（Food and Drug Administration、アメリカ食品医薬品局）」から限定的な医療機器としての認可も取得しているほどです。

アップルがアップルウォッチで狙うのは、**ヘルスケア市場の新たなプラットフォームとなること**でしょう。

ヘルスケア市場は、健康管理から予防、生活支援サービスなど、今後ますます拡大することが予想される分野です。アップルウォッチのようなウェアラブル機器だけで見ても、

■図5-9　世界のウェアラブル市場の規模

	台数	市場規模
2015年	2,800万台	8,500億円
2020年	1億4,000万台	4兆4,600億円
2025年	2億5,300万台	6兆2,100億円

※ウオッチ型、ブレスレット型、メガネ型、その他の合計
出所：一般社団法人電子情報技術産業協会（JEITA）「注目分野に関する動向調査2015」の基礎データ

15年に２８００万台だったものが20年には１億４千万台、25年には2億５３００万台にまで達するという予測もあります（図５−９）。

これを市場規模に置き換えれば、現在世界で約４兆５千億円のマーケットが、25年には６兆２１００億円規模にまで拡大されると予想されています（一般社団法人電子情報技術産業協会調査）。

また、ヘルスケア産業全体で見れば、その市場規模は現在約３００兆円、30年には５２５兆円にまで拡大されると予測されています。

このヘルスケア市場でアップルウォッチを軸に、測定したデータをアイフォーンやアイパッドに集約し、これを街の病

院や医療機関に伝送し、早期に異常を見つけて治療に役立てる……ヘルスケア市場のプラットフォームです。

アップルウォッチには現在搭載されている心電図機能のほか、血圧測定機能や血糖値計測機能なども搭載される計画もあります。現在はまだ精度面に課題があり、搭載されるのは24〜25年頃ではないかと予想されていますが、心拍、血圧、血糖値などまでアップルウォッチだけで計測・監視でき、異常時には医療機関に緊急通報できるようになれば、アップルのヘルスケア市場でのプラットフォーム化が大きく前進することになります。このプラットフォームでアップルのエコシステムが形成されれば、その企業価値も大きく上がることでしょう。

世界初！　時価総額3兆ドル超えの偉業

ヘルスケア分野のプラットフォーム化を待たずとも、すでにアップルという会社の企業価値は、他の追随を許さないほど高いものになっています。

企業の価値を評価する指標のひとつに、時価総額があります。これは現在の株価に発行済株式数を掛けて得られる数値で、企業の規模や価値、業界での位置などを表すとともに、その企業が市場からどう評価されているかを知ることができます。

「時価総額＝株価×発行済株式数」という計算式によって、企業の時価総額が簡単に計算できますが、各企業の計算結果の数値がどの程度かによって、業界での位置もわかるわけです。

ちなみに、23年4月初旬のアメリカ企業の時価総額は、表5-1の通りです。

これを見るとわかるように、トップはアップルの約2兆6052億ドル（約344兆円）、以下マイクロソフト、アマゾンと続いていますが、トップ10にGAFAMのすべての企業が入っています。言い換えれば、GAFAMはそれだけ企業価値が高い企業だといえるのです。

ちなみに、同じ日の日本企業の時価総額トップ10は、表5-2のようになっていました。トップはトヨタ自動車で、時価総額は36兆4884億円。アップルの時価総額が約344兆円ですから、桁が1つ違います。アップルの時価総額はトヨタの10倍近くにもなるわけです。

このアップルの時価総額が、22年初頭に3兆ドルを超えたことがあります。当時のレートで約345兆円です。これは世界初のこと。

もともとアップルは、18年8月に米企業として初めて時価総額1兆ドルを突破し、世界

■表5-1　アメリカ企業の時価総額トップ10（2023年４月９日現在）

順位	銘柄名	時価総額（百万ドル）
1	アップル	2,605,242
2	マイクロソフト	2,170,613
3	アマゾン・ドット・コム	1,045,835
4	エヌビディア	667,814
5	アルファベットC（議決権なしの株式）	649,915
6	アルファベットA（議決権ありの株式）	645,750
7	テスラ	585,549
8	メタ・プラットフォームズA	480,987
9	ユナイテッド・ヘルス・グループ	478,373
10	エクソン・モービル	468,367

出所：Google Financeより作成

■表5-2　日本企業の時価総額トップ10（2023年４月９日現在）

順位	銘柄名	時価総額（億円）
1	トヨタ自動車	364,884
2	ソニーグループ	157,383
3	キーエンス	142,957
4	日本電信電話	118,946
5	リクルートホールディングス	93,379
6	三菱UFJフィナンシャル・グループ	89,467
7	東京エレクトロン	89,405
8	ソフトバンクグループ	87,336
9	KDDI	84,171
10	信越化学工業	75,561

に衝撃をもたらしました。さらにその1カ月後には、アマゾンまでが時価総額1兆ドルを超え、再び世界に衝撃が走りました。

そのアップルは、2年後の20年8月に今度は時価総額2兆ドルを超え、さらに1年4カ月後に3兆ドルを超えたのです。20～21年という世界がコロナ禍に苦しむ時期、ビッグ・テックはコロナ特需に沸いていたのですが、ことにアップルは、アイフォーンやアイパッド、アップルウォッチといったベストセラー製品を発売し続けながら、しかもメタバースや自動運転といった分野にも挑戦しています。

この攻めの姿勢が、投資家たちに歓迎されたのでしょう。時価総額3兆ドル超えという偉業には、そんな世界の期待も含まれているといっていいのではないでしょうか。

アップルでもレイオフが始まる

アップルが時価総額3兆ドルを超えたのは、コロナ特需の影響もあります。ところが、特需に沸いていたビッグ・テックは、22年後半から23年にかけて一転、レイオフの嵐が吹き荒れました。

国によって対応はさまざまですが、世界では新型コロナウイルスを恐れるよりも経済を回復させることが肝心で、これからはウイズコロナで進もうという機運も少しずつ高まってきています。

さらに欧米当局の規制強化や、デジタル広告やアプリ決済などビッグ・テックのプラットフォーム事業への規制が広がり、特需で増員した社員を解雇する動きが活発化したのです。アメリカのテック企業では、22年だけで約24万人以上の人員削減があり、23年1月だけでさらに10万人以上ものレイオフがありました。

GAFAM各社も例外ではなく、23年1月だけで約5万人をレイオフしています。ただし、それまでアップルだけは大規模なレイオフを実施していませんでした。

ところが23年4月になって、アップルでもレイオフを検討しているというニュースが飛び込んできたのです。ごく限られた規模ではあるものの、正社員の解雇を計画していると経済専門通信社の『ブルームバーグ（Bloomberg）』が報道しました。

アップルは他社よりも収益性が高く、膨大な資金も抱えているため、レイオフをほとんど実施しないと思われていました。レイオフは企業のイメージダウンにつながり、経済への悪影響もあるためです。また、ティム・クックCEOは決算説明会で、従業員の解雇は最後の手段だと述べたこともあります。実際、23年度の報酬は大幅に減らすべきだと、クック自ら報酬委員会に提案もしています。

他のビッグ・テックとは異なり、アップルではコロナ禍でも社員の大幅な増員はしていません。逆に22年11月には、研究開発以外のほとんどの職場で採用を一時停止し、23年3月には採用凍結を拡大。一部従業員のボーナス支払いを延期している、といった報道もありました。

実際にどの程度のレイオフが実施されるのかは、今後の動きを見守るしかありませんが、アップルではこれはレイオフではなく、効率化の一環だと位置づけているようです。また、レイオフの対象となる社員には、再就職の支援を実施することを約束しています。

コロナ特需によって大幅な増員を行ったビッグ・テックが一転、レイオフの嵐。そこにアップルも加わるとすれば、ビッグ・テックの先行きに暗雲が見え隠れしているのでしょうか。ウェブ3という、限られた企業への集中を分散して打破する次世代ネット技術や、スタートするや瞬く間に驚異的な人気となったチャットGPTの登場など、ビッグ・テックの根幹を揺さぶるような状況も訪れています。アップルのレイオフが、ビッグ・テックの未来を占う指針にならないことを願うばかりです。

アップルが次に狙うもの

メタバースへの挑戦やヘルスケア分野でのプラットフォーム作りなど、アップルの次の一手が少しずつ垣間見えてきていますが、本当のところ、アップルはどこを目指しているのでしょうか。

パソコンからスタートしたアップルは、マック、アイポッド、アイフォーン、アップルウォッチと、高いデザイン性と優れた機能を持つ製品を次々と発売してきました。ビッグ・テック、ＩＴ企業とはいっても、実は優れたモノづくりの企業なのです。さらにアイポッドやアイフォーン、アップルウォッチといった製品を軸に、音楽、アプリ、デジタルコンテンツ、ヘルスデータなどのプラットフォームを展開することで、モノを売ること以上に大きな収益を上げてきました。

噂されているメタバースも、やはり同じ図式です。アップル・ゴーグルを作って販売することで、メタバースのプラットフォームを目指すことでしょう。

ＡＩについてはどうでしょう。チャットＧＰＴの登場で、マイクロソフトは「新しいビング」をスタートさせ、グーグルはバードを発表しています。ところが、アップルからは

ＡＩに関する製品やサービスが聞こえてきません。

アップルは顧客のプライバシーを重視し、個人データの利活用をしないことを明言しています。これはＡＩ戦略に大きな影響を与えかねないことです。ビッグデータ×ＡＩの時代において、個人データを活用しないのはＡＩに出遅れている、との指摘もあります。

では、本当にアップルはＡＩに出遅れているのでしょうか。出遅れていることを理由に、個人データを利活用しないと明言しているのでしょうか。

実は23年3月、アップルがチャットＧＰＴに類似する技術を開発している、と『ニューヨーク・タイムズ』が報道したのです。アップルは社内で「WWDC for AI」という人工知能関連イベントを開催し、人工知能技術にも注力しています。これはアイフォーンなどに搭載されている「シリ」の改善のためにも必要な技術だといわれています。

アップルほどの企業が、チャットＧＰＴやマイクロソフト、グーグルが熾烈《しれつ》な争いを繰り広げているＡＩに、無関心でいられるはずはありません。

ただし、アップルは素晴らしいモノづくりをする企業ですが、それが世界初、業界初、史上初といったものとはなっていません。たとえば音楽プレイヤーのアイポッドは、多くの企業がＭＰ３プレイヤーを出した後、市場に投入しています。アイフォーンもまた、世界で初めてのスマホというわけではありませんでした。アップルウォッチでさえ、すでにさまざまなメーカーからスマートバンドやウォッチが出てきていたところに、ついに登場したデバイスです。

アップルにとってのAIとは、今はまだマイクロソフトとグーグルの熾烈な争いを眺めている段階なのでしょう。チャットGPTの使用を、早々と禁止した国もあります。そんな状況の中で、どんなAIを作り出すのか、見極めようとしているのかもしれません。

もちろん、アップルのプライバシー重視という強いこだわりもあります。顧客のプライバシーを重視することで、アップルはユーザーの信頼性や安心感を得ています。アップルウォッチによって生命の危機を救われたといった報道で、人々はアップル製品に対する信頼を高めています。

アップルがAIに乗り出さない、という選択は間違いなくありません。しかし、現状とは違った形で製品やサービスを考え、投入してくるはずです。そのとき、アップルはAIのプラットフォーマーになり、ますます企業価値を高めることになるのではないでしょうか。

第6章

検索事業とクラウドのナンバーワンを狙うマイクロソフト

GAFAM + Tesla

売上高2%増止まり、PC低迷、クラウド減速

ビッグ・テック企業について、本書ではGAFAM、つまりグーグル、アマゾン、フェイスブック（メタ・プラットフォームズ）、アップル、マイクロソフトの5社とテスラを加えて6社を取り上げています。このくくり方について依存はないでしょうが、アメリカではビッグ・テックというとGAFAで「ビッグ4」としてくくり、5社目としてマイクロソフトを加えて「ビッグ5」と呼ぶのが一般的です。マイクロソフトはビッグ・テックでも5番目の企業とみなされているのです。

しかし、その業績を見れば、マイクロソフトは単純に5番目などとはいえません。2022年の各社の売上高を見れば、アマゾンとアップルが突出しているのに対し、フェイスブックが最も低く、マイクロソフトは5社のうち4番目の売上となっているのです（決算時期は異なっています。図6-1）。

最終利益（純利益）を見ても、GAFAMの中でマイクロソフトの位置づけがわかります。マイクロソフトはGAFAMの中で2番目に高い利益を上げています。ちなみにメタ（フェイスブック）、アマゾンの利益は低く、特にアマゾンはマイナスになっています（図

■図6-1　GAFAMの売上高（2022年）

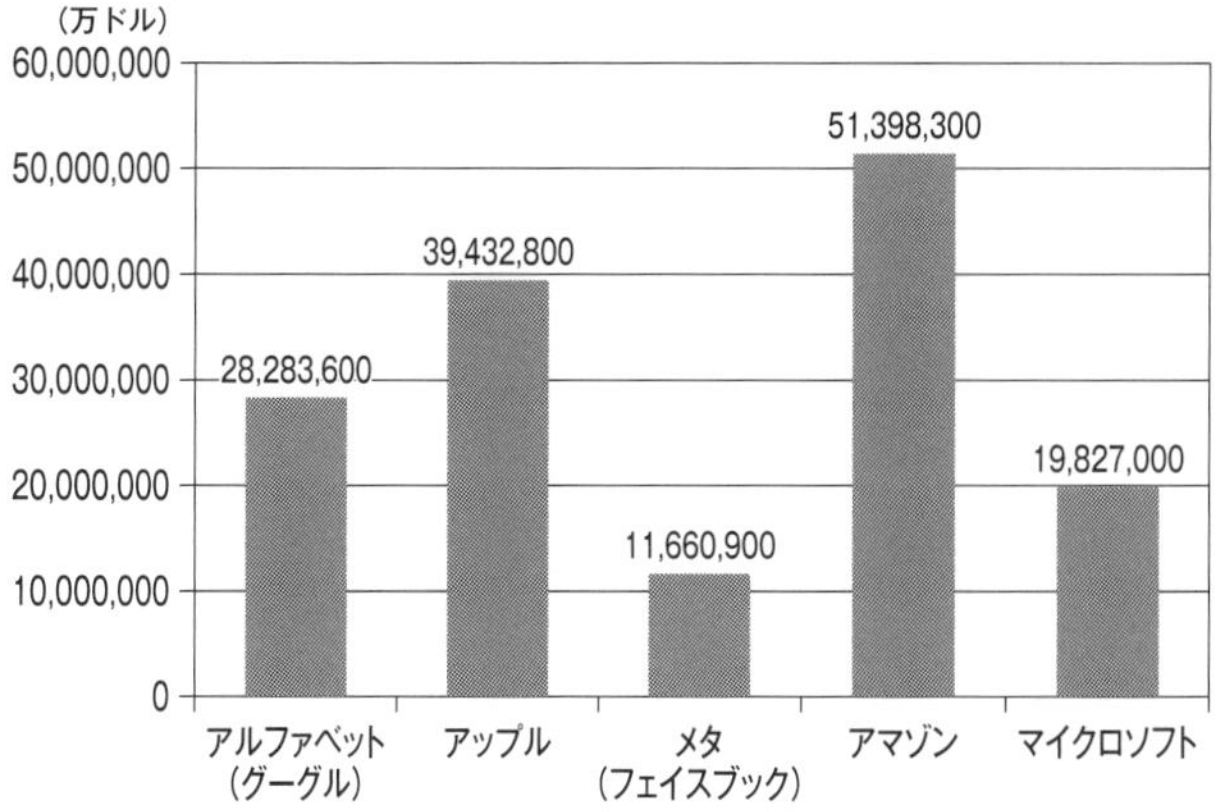

※決算期末は、アップルは９月末、マイクロソフトは６月末

■図6-2　GAFAMの最終利益（純利益）（2022年）

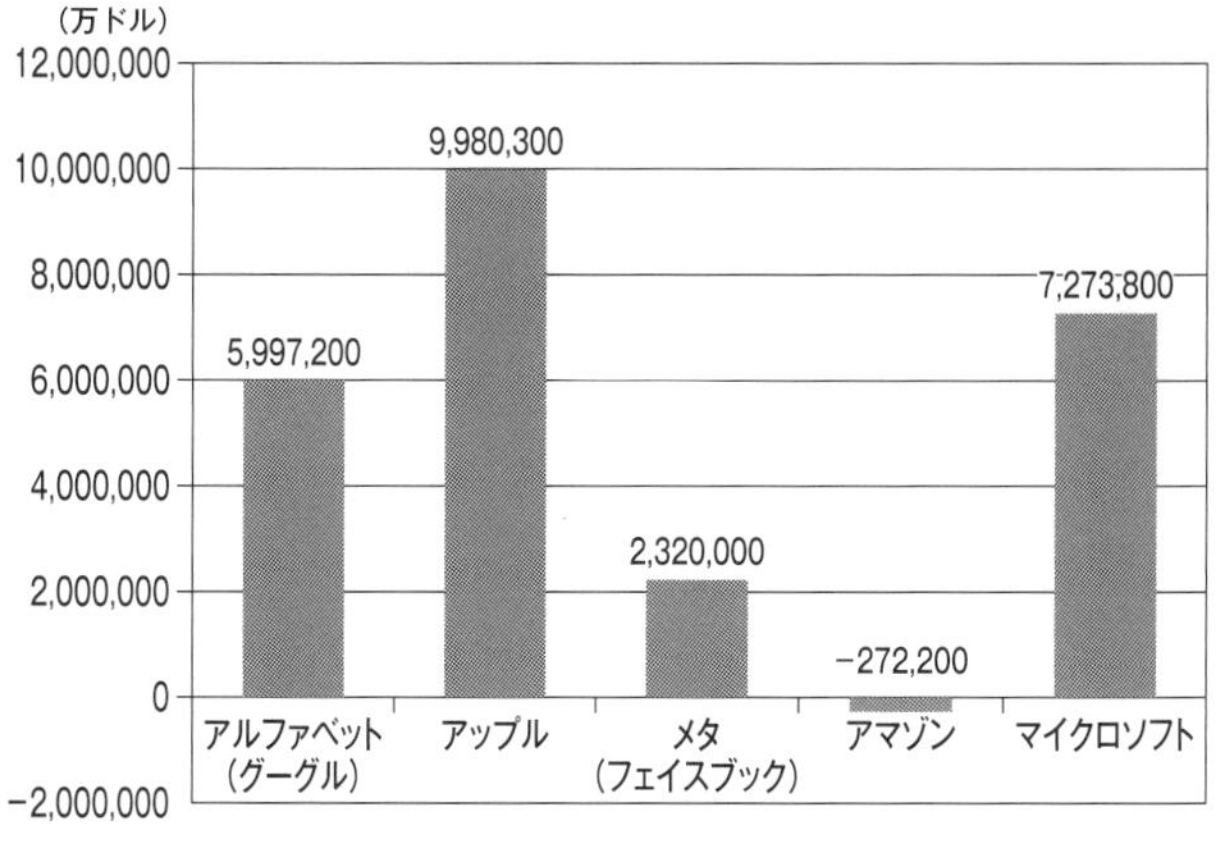

※決算期末は、アップルは９月末、マイクロソフトは６月末

■図6-3　マイクロソフトの売上高の推移

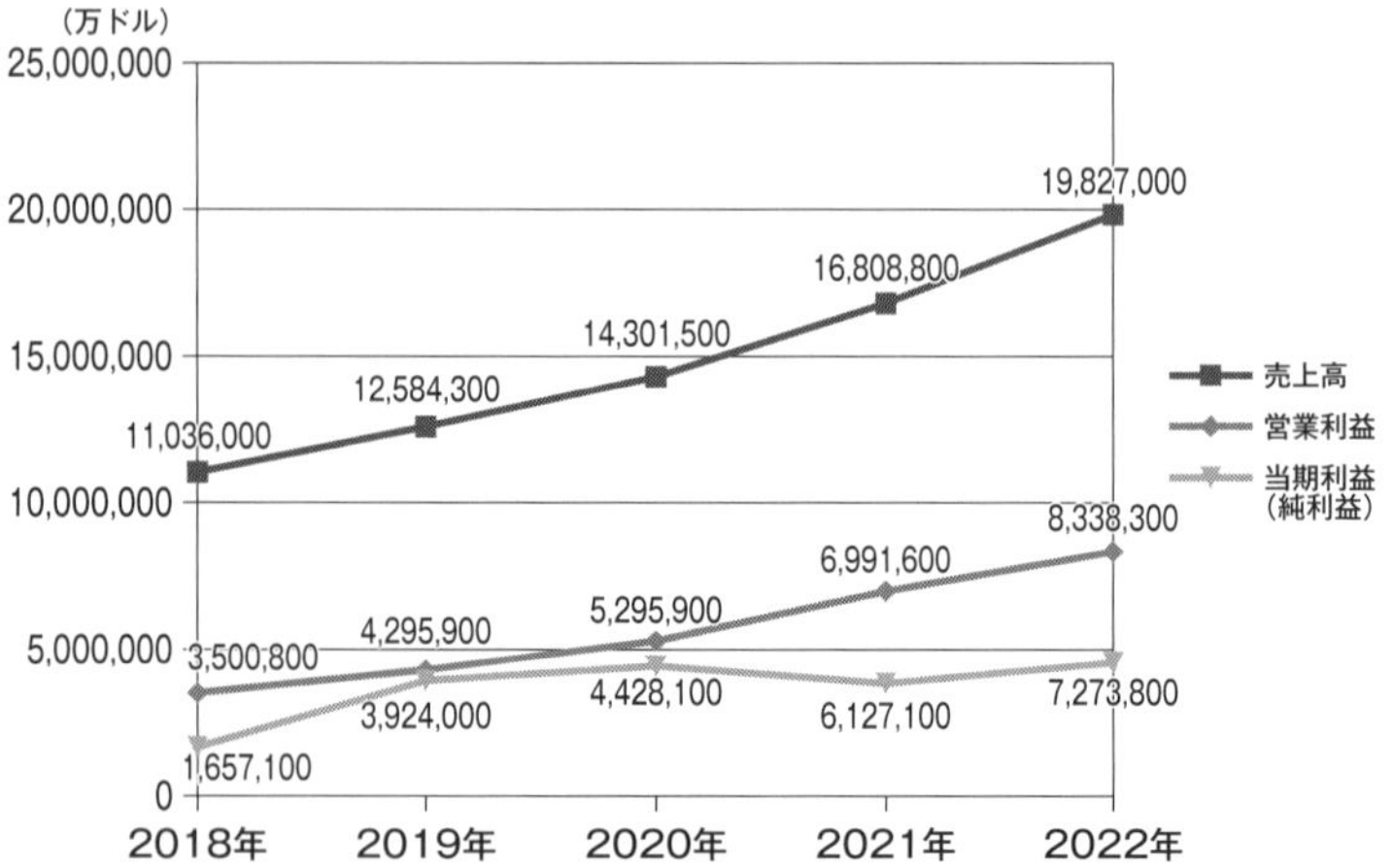

６−２）。ただし、これは設備投資などに支出すれば、見かけ上の利益は少なくなるため、グラフ通りの業績だとはいえないので注意が必要です。

ＧＡＦＡＭの中でも売上高、最終利益（純利益）のいずれも高いマイクロソフトですが、**実はその内実はそれほど良いものではありませんでした**。ここ５年間の同社の売上高、営業利益、当期利益の推移をグラフにしてみると、右肩上がりで順調に伸びているように見えます（図６−３）。

ところが22年10〜12月期の業績を見ると、売上高が５２７億４７００万ドル、営業利益は２０３億９９００万ドル、最終利益（純利益）は１６４億２５００万ドルとなっています。売上高は前年同期比２％増です。増えてはいますが、わずか2％増で、伸び率としては約6年ぶりに10％を下回ったのです。

さらに営業利益は前年同期比8・6％減となり、純利益も同12・5％減となっています。GAFAM全体で見れば、それでも健闘しているのですが、マイクロソフトにしてこの数値なのです。コロナブーメラン効果の後遺症とともに、GAFAM帝国の没落が訪れようとしているのでしょうか。

マイクロソフトの事業別売上高

22年のマイクロソフトの増収率は、17年以降で最も低い水準で、純益も12％減となりましたが、その原因は他のGAFAMと同じようにいくつかあります。

まず、**景気の減速**です。経済の先行き不透明感から、パソコンやゲームへの支出が減少したため、ウィンドウズ製品やオフィス製品、ゲームといったマイクロソフトの主力製品にも大きな影響が出ています。

マイクロソフトは1975年にビル・ゲイツとポール・アレンによって、米ワシントン州で創業されました。最初に出した製品は、8ビットのマイクロプロセッサを搭載したコンピュータ上で動くベーシック・インタプリタでした。もともとパソコンソフトの製造販売の会社としてスタートしたわけです。

以後、パソコンの主流となるＩＢＭ ＰＣのオペレーティングシステムの開発・販売で一気に成長し、ウィンドウズの開発、オフィス向けソフト、ウェブブラウザなどでソフトウェア界の巨人にまで登りつめています。

また、２０００年代に入ると01年に家庭用ゲーム機のＸｂｏｘを発売し、ゲーム業界にも進出。09年には検索エンジンのビング（Bing）を開始、10年になるとクラウドサービスとしてアジュール（Azure）を開始しています。

もともとソフトウェア会社としてスタートしたマイクロソフトですが、ゲームやクラウドサービスにも進出し、現在ではソフトウェアそのものの売上は減ってきています。

22年の事業別売上高を見ると、最も割合が大きいのはクラウドサービス関連の57％です（図6-4）。以下、ウィンドウズ製品が13％、ゲーム関連、リンクトイン（LinkedIn、ビジネス特化型ＳＮＳ）、検索・広告関連と続きます。

売上の構成としては、よくバランスがとれているといえるでしょう。その分、景気などに左右される要素はあまり多くはないのですが、景気の減退によってパソコンやゲームへの支出が減少したのは、やはり響いているようです。

■ 図6-4　マイクロソフトの事業別売上高（2022年）

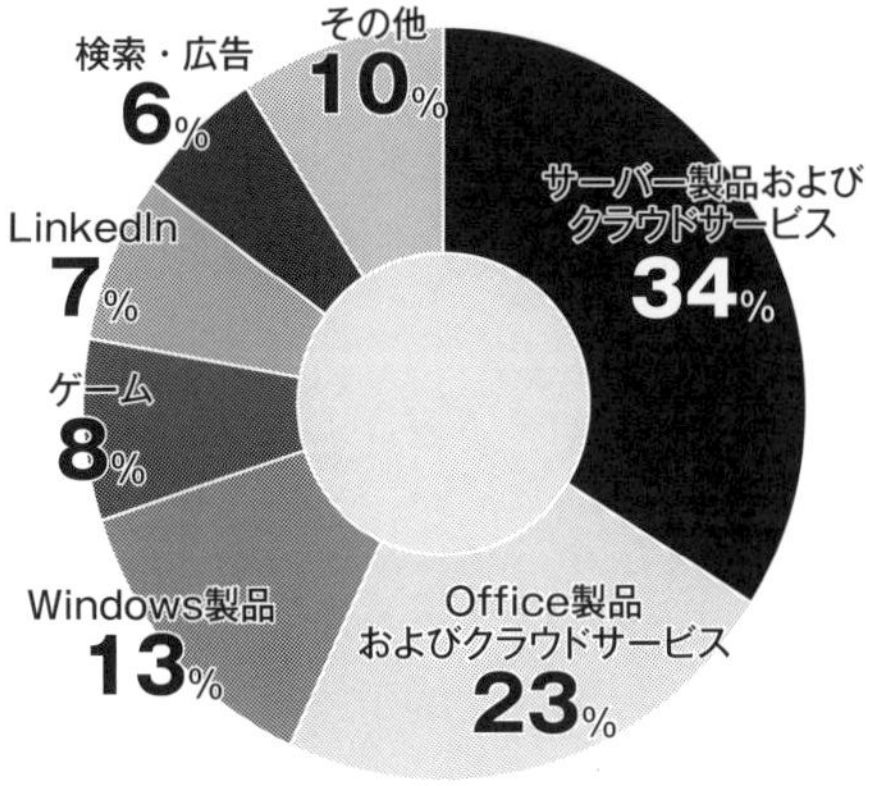

出所：「Earnings Release FY22 Q4」より作成

さらに、最近ではパソコンよりもむしろスマホやタブレットを利用するユーザーが多くなり、ウィンドウズやオフィス製品といった、パソコンソフトの売上は厳しい時代になってきています。インフレによる、パソコンやソフト、ゲームなどの買い控えも、マイクロソフトの売上に影響を与えています。

事業別売上高からもわかるように、すでにマイクロソフトはソフトの制作・販売の会社ではなく、クラウドサービスを主流とする総合IT企業だといっていいでしょう。現在の主力はアジュールというクラウドサービスです。

アジュールの売上高は、前年同期比31%のプラスとなっていますが、クラウドで利用するオフィス365（Office 365）や企業の営業支援に利用されているダイナミックス365（Dynamics 365）といったクラウドサービス全体の売上高は、前年同期比22％増となっています。しかし、これも18年以降では最も低い伸び率なのです。

主力となりつつある事業が伸び悩んでいるのは、**ライバルとシェアを奪い合う展開になってきているため**です。アマゾンのAWS、グーグルのグーグル・クラウド、それにマイクロソフトのアジュールで、クラウド市場の6割以上のシェアを占めていますが、最近では中国のアリババなども出現してきており、この分野も安泰ではいられないのです。

いくつかの要因もあり、マイクロソフトも増収とはいえ、決して予断を許さない展開になってきています。

ブラウザ戦争に再挑戦

マイクロソフトは、かつて90年代後半からIT業界で一大帝国を築いてきました。パソコンの普及とインターネットの開放、さらにビジネス分野でのIT化によって、我が世の春を謳歌していたといっても過言ではありません。

パソコンのOSであるウィンドウズと、会社の事務部門で使われ始めたオフィスソフトにより、事実上の標準がマイクロソフトに一極集中したのです。このことから97年、米国司法省はマイクロソフトを反トラスト法違反として提訴しています。この裁判は、結局マイクロソフトの勝利となっていますが、04年には欧州連合の欧州委員会が、マイクロソフトはウィンドウズの支配的地位を乱用し競争法に違反しているとして、約4億9720万ユーロ（当時の相場で約795億円）の制裁金を化す決定をし、最終的にはマイクロソフトが支払っています。

一極集中化は、OSやオフィスソフト以外でも起こっています。たとえば、ブラウザです。ウィンドウズに搭載されていたウェブブラウザ（インターネット閲覧用ソフト）は、初期の頃はマイクロソフトのインターネット・エクスプローラ（Internet Explorer、IE）と、ネットスケープ社のネットスケープ（Netscape）が二大ブラウザでしたが、95年にエクスプローラを搭載したウィンドウズ95が発売されて以降、圧倒的なシェアを得るまでになりました。

ところが09年にグーグルがクローム（Chrome）をリリースすると、エクスプローラは瞬く間に首位の座から陥落してしまいました。そのため13年には、マイクロソフトはウィンドウズ10のリリースに伴ってエクスプローラの開発を終了し、新たにエッジ（Edge）をリリースしました。

しかし、現在までのところクロームの牙城は崩せず、エッジの苦戦が続いています。ウェブトラフィックの解析を行っているスタットカウンター（StatCounter）によれば、23年3月のデスクトップ用ブラウザのシェアは、依然クロームがトップで64・8％、次いでマック用のブラウザ「サファリ（Safari）」が19・5％、3位にやっとエッジがつけ、4・63％となっていました（図6-5）。

スタットカウンターでは過去のシェアまで見ることができますが、クロームが配布された09年まで遡ってみると、クロームとエクスプローラがどのように入れ替わったのかがわかります。

09年当時は、エクスプローラのシェアは約64％もありました。ところがクロームが配布され始めるとあっという間にシェアが落ち始め、12年にはクロームとエクスプローラが拮抗。以後はクロームが急激にシェアを奪っていくのに対し、エクスプローラは急激に落ち、14年にはサファリにも抜かれ、ここ数年は2〜3％といった低迷を続けています。

ブラウザのシェアが低迷しているのは、マイクロソフトの本業にそれほど影響を与えるものではないでしょう。事業別売上高の割合を見ても、検索・広告は全体の6％ほどに過ぎません。しかし、グーグルが配布するクロームは、当然ながらグーグルの検索やサービスと親和性が高く、検索、メール、オンライン・オフィスアプリ、クラウドといったサー

■図6-5　2023年３月のデスクトップ用ブラウザのシェア（%）

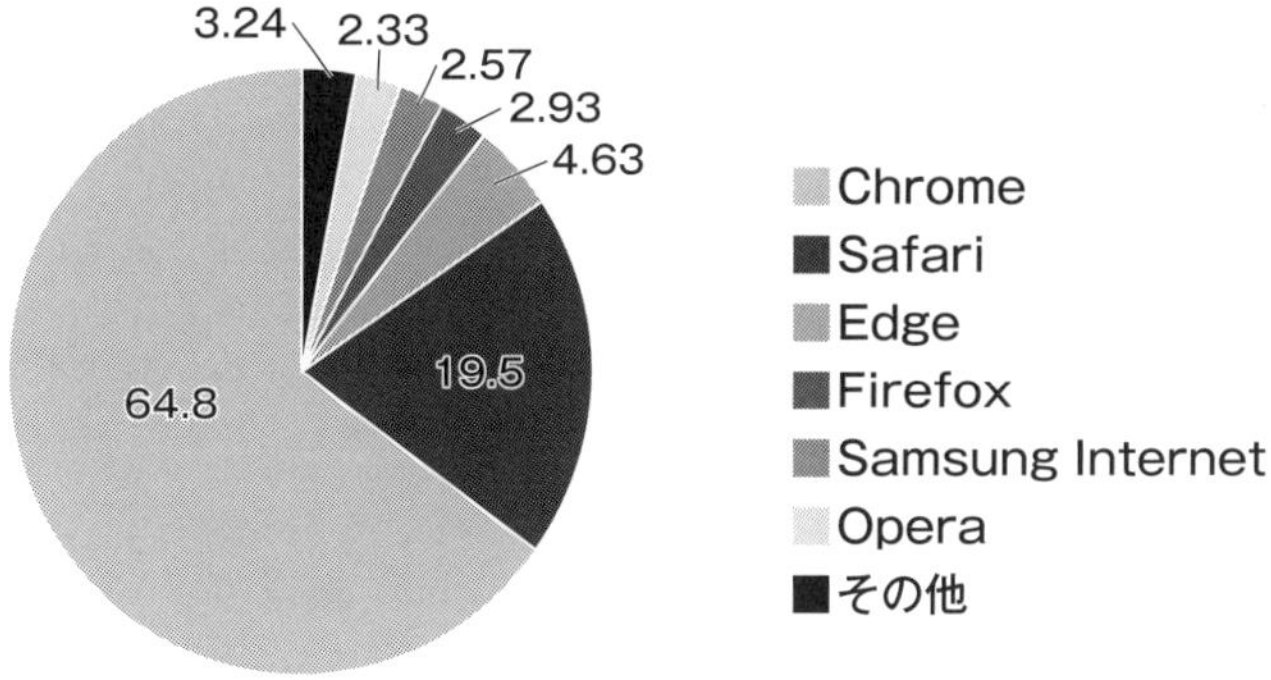

出所：StatCounterより作成

■図6-6　ブラウザのシェアの推移

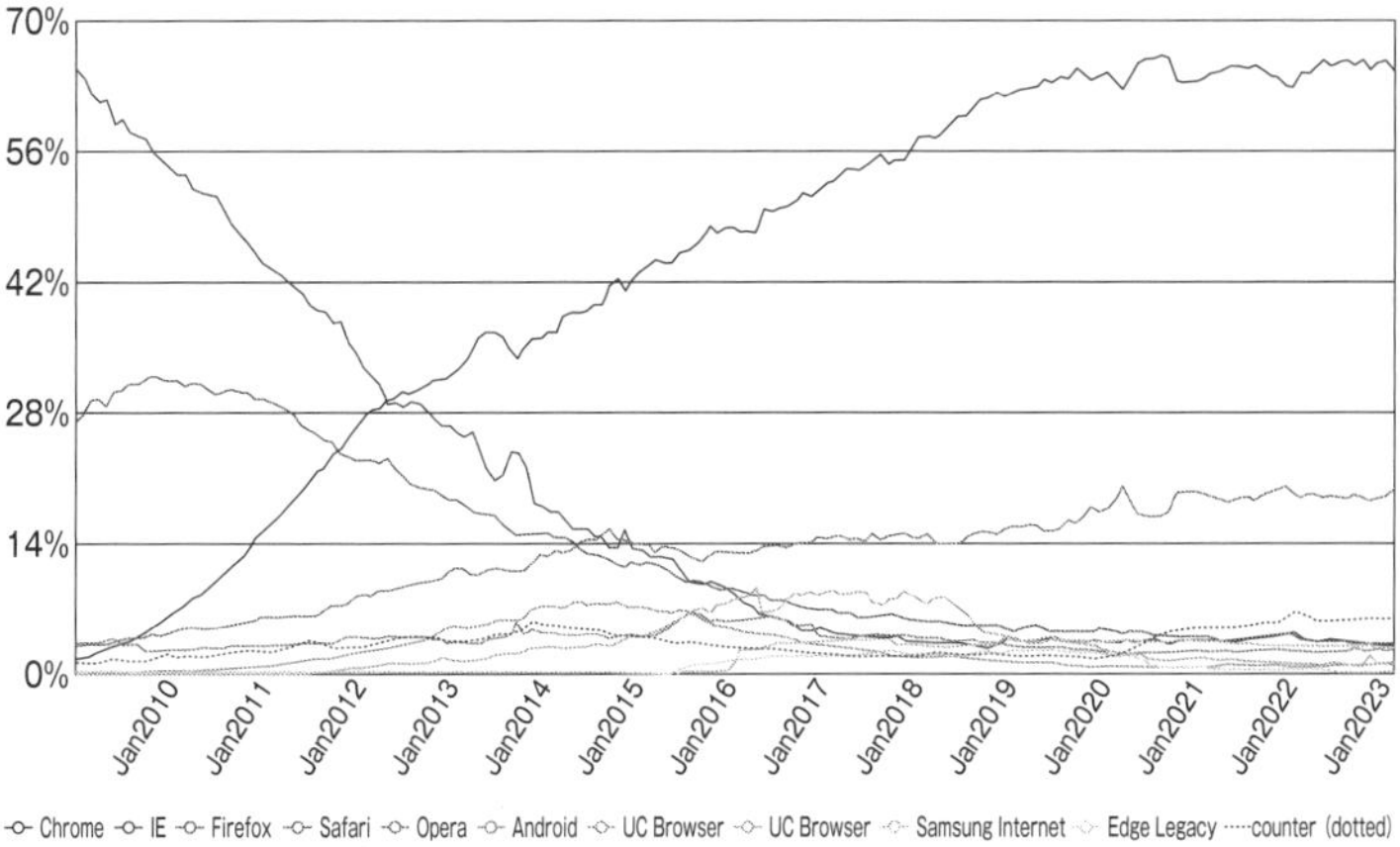

出所：StatCounterより作成

■図6-7　2023年3月の検索サービスのシェア（%）

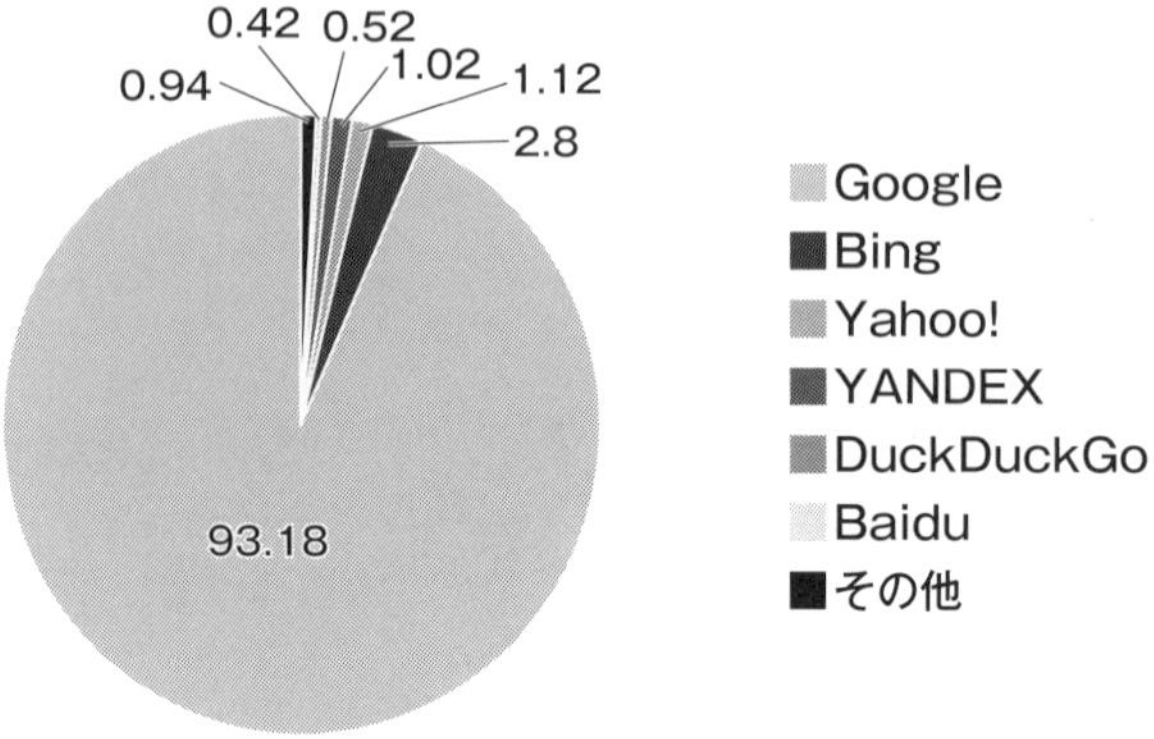

出所：StatCounterより作成

ビスにも影響が出てきます。

実際に検索サービスでは、グーグルが圧倒的なシェアを誇り、マイクロソフトが提供しているビングのシェアは、わずか2・8%しかありません（図6-7）。

ビングは、マイクロソフトが提供する検索サービスですが、検索結果に広告を表示したり、マイクロソフトのポータルサイトを表示させ、ニュース記事や広告を自動的に表示させたりすることができます。ユーザーがビングに訪れて検索を行い、あるいはマイクロソフトのブラウザであるエッジを利用してくれれば、検索や広告といったグーグルに一極集中している牙城に切り込むこともできるのです。

チャットGPTを検索に取り込む——ビングに組み込まれた人工知能

2023年2月7日、マイクロソフトは同社の検索サービス「ビング」に、AIを搭載した「新しいビング」の限定プレビューを提供すると発表しました。

ビングに搭載されたAIというのは、前年の11月にサービスを開始したオープンAI（OpenAI）社の**チャットGPT**（ChatGPT）の次世代モデルのことでした。

チャットGPTというのは、アメリカで人工知能（AI）の開発を行っているオープンAIという会社の「人工知能チャットボット」と呼ばれるもので、原語では「Generative Pre-trained Transformer」、日本語に訳せば「生成可能な事前学習済み変換器」という意味のプログラムです。一般には「テキスト生成AI」「AIチャットボット」などとも呼ばれていますが、簡単にいえば、質問などを打ち込むと、自然な言語の文章で答えてくれる機能・サービスです。

チャットGPTを検索に搭載すると発表されても、一般ユーザーにはピンとこなかったのではないでしょうか。しかし、実際に利用してみるとこれは便利です。

■図6-8 「新しいBing」の生成AIを利用した検索例

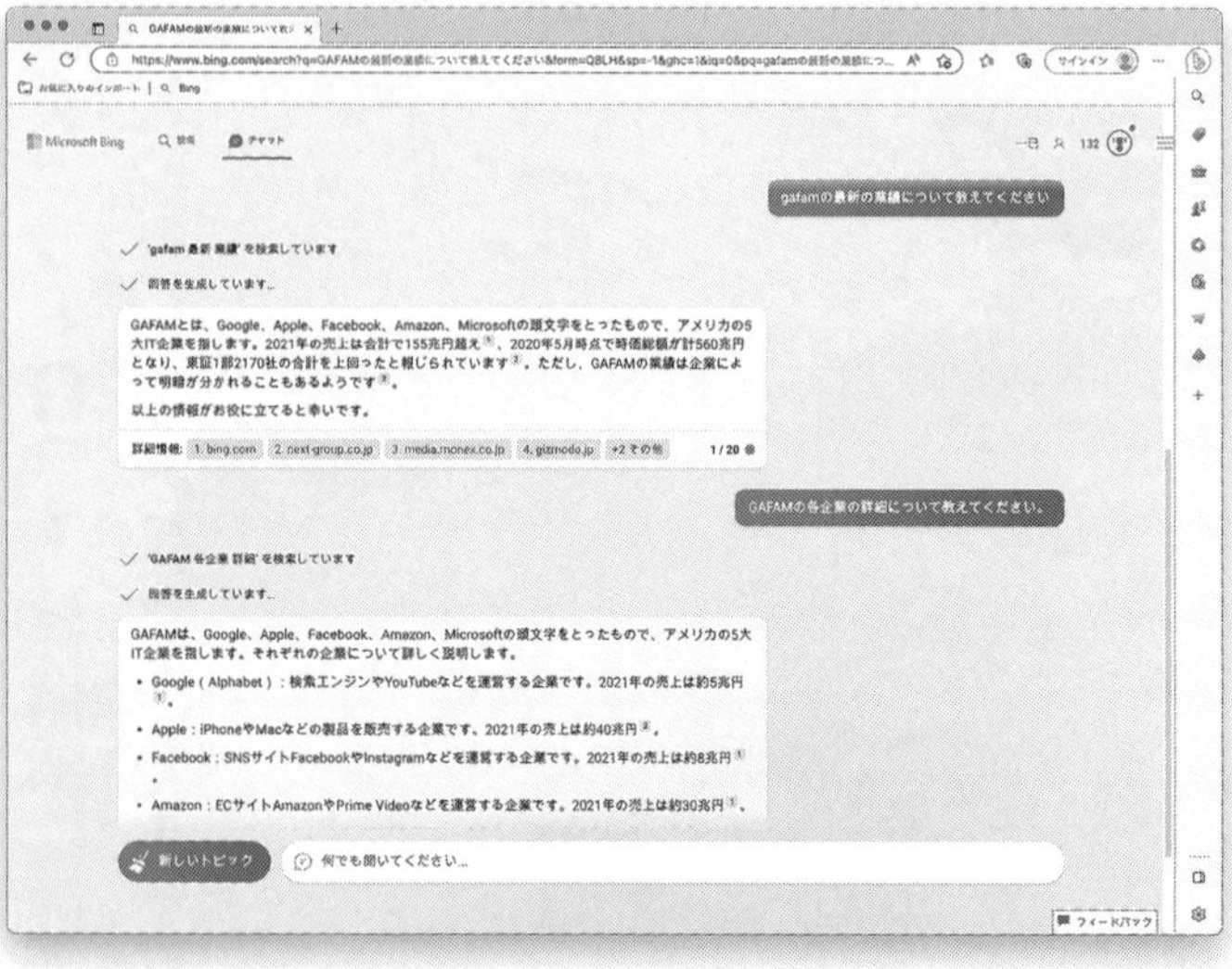

ブラウザのエッジでビングを訪れ、検索窓にキーワードなどを打ち込み、検索をします。検索結果が表示されたら、上部のメニューで「チャット」を指定。すると「新しいビング」のチャット画面に変わり、今検索したキーワードや質問の答えと、ＡＩが生成した答えが表示されます。

このＡＩの答えの下には「詳細情報」と、さらに追加の質問の候補が表示されています。この質問の候補をクリックしていくだけで、知りたいことがどんどん表示されていきます。また、「詳細情報」をクリックすると、ＡＩによって生成された回答が参照したサイトや関連するサイトが表示されます（図6−8）。

インターネット内を検索するだけなら、特にAIが搭載されていなくてもさほど不便ではないでしょう。しかし、検索結果で表示されたサイトに何度もアクセスするのは面倒です。チャット画面に表示された回答が満足できるものなら、これだけで検索は完了します。疑わしいものだったりするときは、詳細情報からリンク先を閲覧したり、新たに具体的に質問を変えて聞いたりすることもできます。

「新しいビング」は、これまでの検索の概念を変える可能性も秘めています。マイクロソフトが検索サービスにAIを取り込んだのは、まさにこの1点でしょう。グーグルに独占されている検索を、マイクロソフトに取り戻そうという意欲さえ見られます。

MS製品にチャットGPTが組み込まれると何が起きるのか？

マイクロソフトがテキスト生成AIを取り込んだのは、検索だけではありませんでした。「新しいビング」の発表後、3月になるとマイクロソフトはワードやエクセルといったオフィスアプリがクラウド上で利用できるオフィス365に、AI機能を搭載した「マイクロソフト365コパイロット（Microsoft 365 Copilot、以下コパイロットと略記）を発表。

さらに同社のオンライン会議が行えるマイクロソフト・チームズ（Microsoft Teams）のプレミアム版にもＡＩ機能を搭載すると発表しました。

検索のビングにとどまらず、**マイクロソフトのさまざまなオンラインアプリにＡＩ機能を搭載していこう**というのです。

たとえば、ＡＩを搭載したチームズでミーティングを行うと、すぐにＡＩが会議のまとめを自動作成してくれます。音声認識機能を利用し、会議を録音して自動的にテキストに書き出すといったことはすでに可能ですが、これをＡＩが自動的に作成してくれるのです。あるいは、要約だけするよう設定しておけば、会議のまとめの要約が自動的に作成されるでしょう。

オフィス製品にＡＩが搭載されると、従来の仕事が劇的に変わります。コパイロットの発表の席上、同社のビジネスアプリ担当バイスプレジデントのジャレッド・スパタロウは、「新ＡＩシステムによって仕事における『苦役』がなくなるだろう」と語っています。

コパイロットの発表でも実演していましたが、たとえば、娘の卒業を祝う10ページのスライドをパワーポイントで作成したいとき。ＡＩに指示すればユーザーのワンドライブ（OneDrive、マイクロソフトのオンラインストレージサービス）から写真や情報を引き出し、それをもとに流れのあるスライドを作ってくれます。

文章を短くしたり、画像を編集してアニメーションにしたり、相手へのメッセージも自動で作成してくれます。

仕事に置き換えれば、これがいかに便利な機能かわかるでしょう。進めているプロジェクトの資料をワンドライブに保存しておくだけで、AIが自動的にプレゼン資料を作成してくれます。ビジネスレターも、内容に沿って自動で書き上げてくれます。コパイロット機能を利用するだけで、仕事の生産性が何倍も上げられるのです。

ビングから始まったAI搭載は、オフィス系アプリへと波及し、ダイナミックス365など法人向け製品にも計画されています。この流れは当分収まりません。ビッグ・テックが次のターゲットとしているのは、この生成AIだといっていいでしょう。

検索へのAI搭載に後れをとったグーグルは、マイクロソフトがコパイロットを発表する2日前（3月14日）、グーグル・ワークスペース（Google Workspace）やグーグル・クラウドで、新たな生成AI機能を導入すると発表しました。

グーグルにはマイクロソフトのオフィス365と同じように、オンラインで文書や表計算、プレゼン資料などが作成できるグーグル・ドキュメントという機能があります。ビジネス向けのオフィスともいえるものですが、ここにAI機能を盛り込むというのです。

たとえば、グーグル・ワークスペースのドキュメントで新入社員を歓迎するウェルカムメールの草稿を書こうと思ったら、必要なトピックを記入するだけで、あとはＡＩが文案を提案し、メッセージの追記や省略などをアドバイスし、作成した文章を修正してくれます。生産性を高めるために、ＡＩが役立つわけです。

マイクロソフトとグーグルのＡＩ戦争の勃発だといっていいでしょう。他のビッグ・テックも、この競争を眺めているだけではないはずです。ＡＩが、ビッグ・テックの新たな戦場となりつつあります。

マイクロソフトの画像生成ＡＩ

チャットＧＰＴや「新しいビング」のチャットでは、テキスト生成ＡＩという技術が盛り込まれています。質問した答えや、指示した命令に従って、ＡＩが文章で回答してくれるものです。

しかし、質問や要望によっては、文章では表現できないものもあります。いい例が画像や写真でしょう。もちろん、すでにグーグルやビングでは、キーワードを打ち込んで検索するだけで、関連する画像や写真を表示してくれます。

ところが、たとえば「雨の日にサクラの花を電車の窓から眺めた風景」などと指定しても、適する写真を表示してはくれません。グーグルでは指定した言葉に近い写真を検索して表示してくれますが、思った通りのものとは違うことも多いはずです。

しかし、それを可能にしてくれるサービスがあります。**画像生成ＡＩ**です。生成ＡＩには、チャットＧＰＴなどで利用されるテキスト生成ＡＩのほか、画像を作成する画像生成ＡＩ、それに音声やプログラム、構造化データなどさまざまなコンテンツを生成できるＡＩなどがあります。

これらの中でもすでにサービスが提供されているのが、画像生成ＡＩです。この分野では、アメリカに拠点を置くアンラタン（Anlatan）社が提供するノベルＡＩ（NovelAI）（図６－９）や、ミュンヘン大

■図6-9　NovelAIのトップ画面

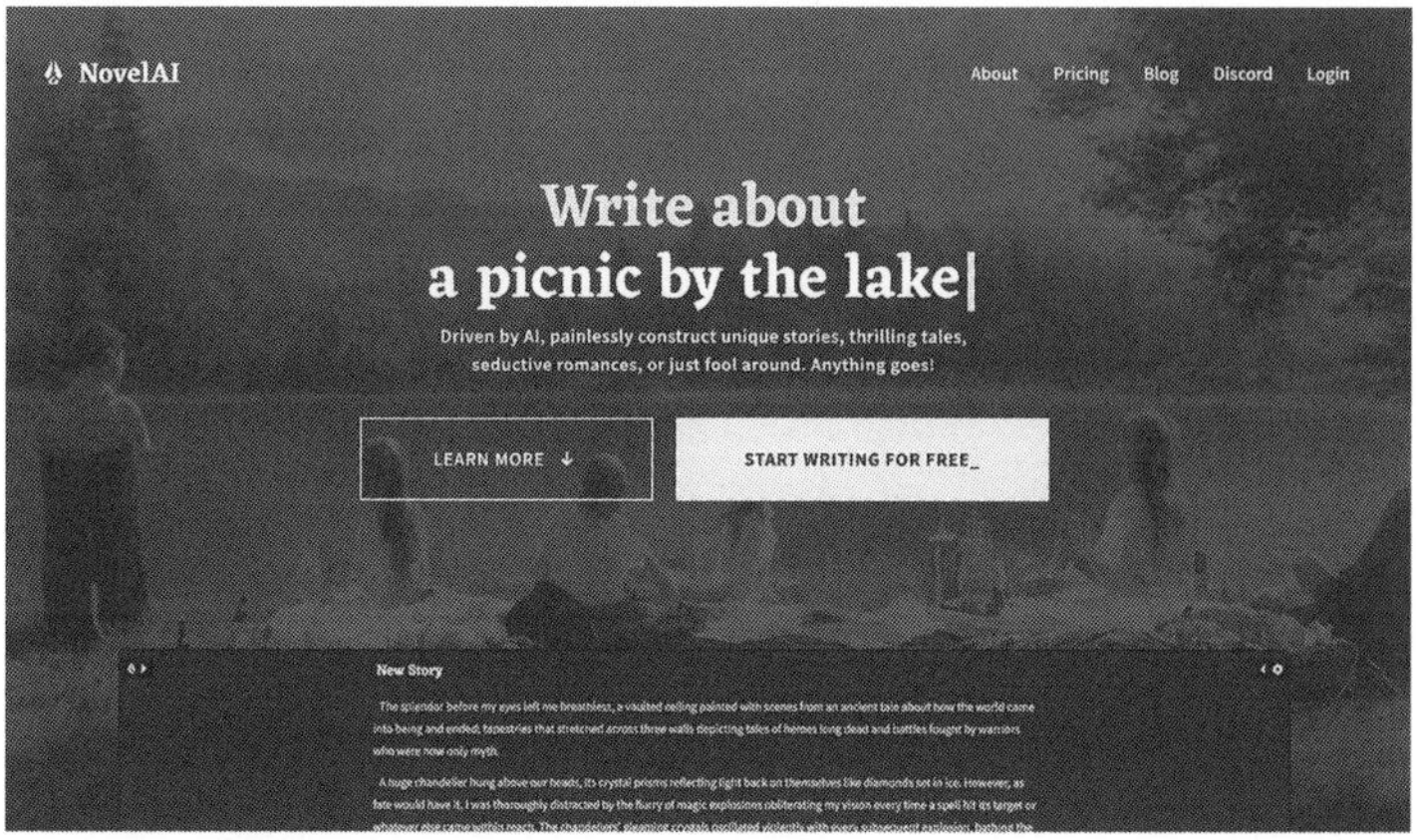

誰でも手軽に画像生成AIを利用して画像が作成できる

■図6-10　マイクロソフトのビング・イメージ・クリエイター

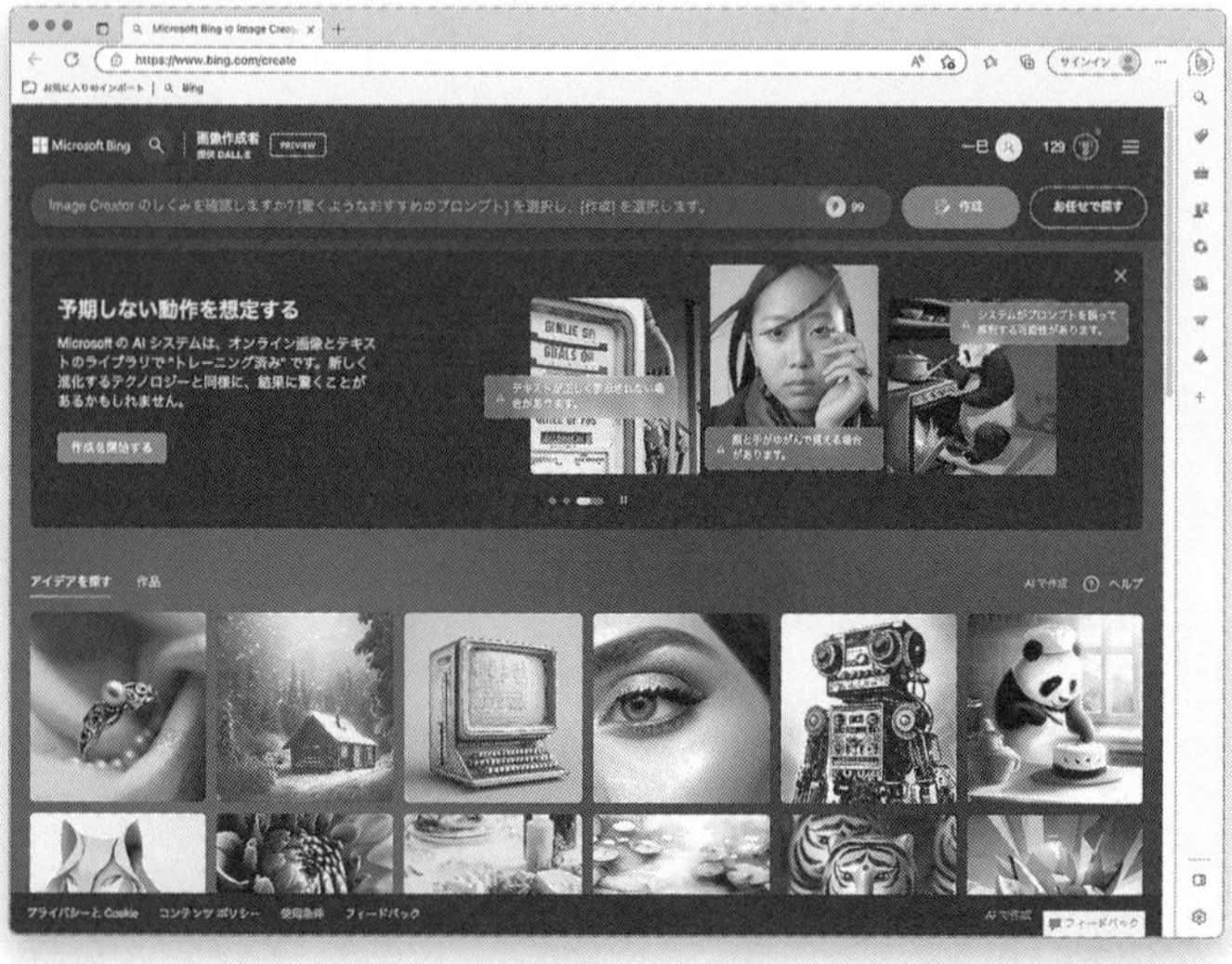

学が開発したステイブル・ディフュージョン（Stable Diffusion）などがあり、スマホ用アプリとして「AIピカソ」といったアプリも人気です。

この画像生成AIに乗り出したのがマイクロソフトです。マイクロソフトは23年3月、ビング・イメージ・クリエイター（Bing Image Creator）を発表（図6-10）。同日から誰でも簡単に画像や写真を作成できるサービスを開始しています。

実は「新しいビング」のAIを利用したチャットは、マイクロソフトのエッジでしか利用できません。ところがビング・イメージ・クリエイターはエッジ以外のブラウザでも利用できるようになっています。ただし、作成する画像を指示できるのは、今のところ英語だけです。

ビング・イメージ・クリエイターのサイトにアクセスし、検索バーに作成したい画像の具体的なイメージを言葉で指定します。日本語は理解してくれませんから、指定するのはすべて英語です。うまく英語が出てこなければ、グーグル翻訳などを利用して日本語を英語に翻訳してから指定すればいいでしょう。

作成するイメージを英語で指定したら、作成というボタンをクリックします。これでほんの数秒で、指定した言葉から作成した画像が4枚表示されます。好きな画像をクリックし、表示されたページで「ダウンロード」を指定すると、画像ファイルがパソコンに保存されますから、この画像をメールに添付したりプレゼン用に利用したり、さまざまな使い方が可能になってきます。

画像などあまり必要ないというユーザーでも、仕事のプレゼンで利用するパワーポイントの背景など、少し工夫したいときがありますが、こんなときにも実に便利に活用できるはずです。

ビング・イメージ・クリエイターに限りませんが、最近ではこれらの画像生成ＡＩを利用して作り出した画像を何枚かまとめ、写真集やイラスト集としてすでにアマゾンなどでも販売されています。さまざまな分野で画像生成ＡＩには需要があるのでしょう。マイクロソフトはこの分野にいち早く手を付けています。

テキスト生成ＡＩ、画像生成ＡＩと、矢継ぎ早にサービスを提供し始めたマイクロソフトですが、**これらのサービスでどう利益を出していくのかは、今後の生成ＡＩの発展次第ともいえます。**

健闘するクラウド事業とオープンＡＩへの投資

マイクロソフトが「新しいビング」に搭載したのは、オープンＡＩのチャットＧＰＴです。

実際には、チャットＧＰＴではＧＰＴ３・５という言語モデルを使用していましたが、ビングに盛り込まれたのはこれより新しいバージョンで、ＧＰＴ４・０だとされています。その後チャットＧＰＴでも、有料版ではＧＰＴ４・０が利用できるようになり、生成されるテキストの精度が格段に上がっています（図6−11）。米サンフランシスコにある営利法人のOpenAI LPと、その親会社である非営利法人のOpenAI Inc.からなるオープンＡＩという2つの企業が作った言語モデルで、最初にテキストを与えると、それをきっかけに

■図6-11　チャットGPTで生成したテキストの例

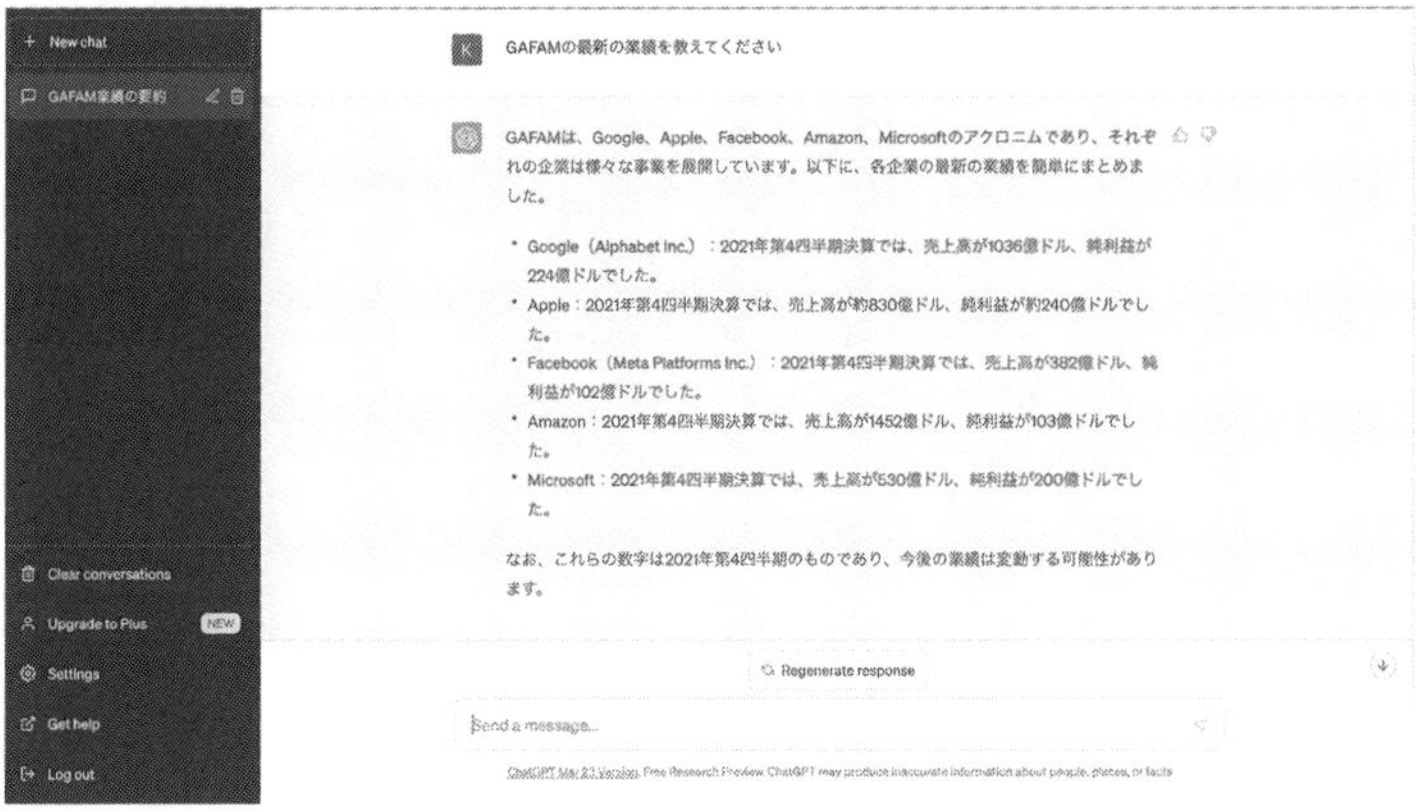

テキストを生成します。

もともとオープンＡＩは、15年にアメリカの起業家でありプログラマーのサム・アルトマン、テスラＣＥＯのイーロン・マスクらによって設立されたものです。ところが18年に、イーロン・マスクは利益が相反する恐れがあるとしてオープンＡＩから離れ、役員も辞任しています。

噂では、このままではグーグルの人工知能に負けてしまうからと、自ら陣頭指揮を執ろうとしたところ、他の共同創業者らに強く反発され、結局手を引いたという話も漏れ伝えられています。

最近になってイーロン・マスクは、ＧＰＴ－4よりも強力なＡＩシステムの開発を、少なくとも6カ月間中止するよう呼びかけた公開書簡に署名しており、自ら創設し、しかも開発の中止を呼びかけるなどして、何らかの別の意図があるのではないかと勘ぐられています。

このオープンＡＩには、19年7月にマイクロソフトが10億米ドルの出資をしています。さらに23年1月には１００億ドルの出資を行い、オープンＡＩの49％の株式を取得しています。この時点で、マイクロソフトはオープンＡＩのチャットＧＰＴを使い、何らかの利益を出そうと考えていることがうかがえます。

検索サービスのビングにチャットＧＰＴを乗せたことからも、**マイクロソフトがＡＩに対して並々ならぬ興味と関心を持っていることは確実で、これを使ってどう企業の利益に結びつけるのか、すでにその段階に差し掛かっているといえるでしょう**。

ビングやビング・イメージ・クリエイターへのＡＩの搭載と、オフィス３６５やチームズ、さらにリンクトインへのＡＩ機能の搭載など、マイクロソフトがＡＩを利用する下地はそろっています。

22年の決算を見ても、マイクロソフトではコンシューマー部門の落ち込みをクラウド事業が補っていることがわかります。しかし、そのクラウド事業はアマゾン、マイクロソフト、グーグルの3社が激しい攻防を繰り広げています。

この3社がクラウドでせめぎ合いになったとき、マイクロソフトが持っている長年の法人との取引関係が有利に働くでしょう。しかも、この上にＡＩが組み込まれたら、アマゾンの牙城を崩す可能性も出てきます。その意味では、マイクロソフトのＡＩ戦略は非常に重要な意味を持ってくるのではないでしょうか。

MRは新たなプラットフォームになる

ＧＡＦＡＭが得意とする分野は、検索やクラウドサービス、ソフト・アプリのプラットフォーム、ＳＮＳ、モバイル端末などさまざまですが、各社の不得意な分野もあります。たとえばグーグル。グーグルはかつて11年にグーグルプラス（Google＋）というＳＮＳの運営を始めました。日本では女性アイドルグループがメンバーとファンとの交流に利用するなど、何かと話題にもなりましたが、19年には終了しています。グーグルは何度かＳＮＳを運営したいと考えていたようですが、どうもうまくいかないようです。

マイクロソフトは、モバイル系にあまり強くありません。携帯電話からスマホが全盛になろうとする10年、マイクロソフトはスマホ向けのウィンドウズフォン（Windows Phone）を製品化して発売していますが、アップルのアイフォーン、グーグルのアンドロイドに追いつけず、14年のウィンドウズフォン８・１を最後に更新が止まり、21年にはサポートも終了しています。

代わりに他のＧＡＦＡＭ企業になく、マイクロソフトが強いのが、**ゲーム分野**です。アップルもグーグルも、スマホ向けのゲームアプリを販売していますが、アプリそのものは他のユーザーやメーカーなどが作成したものです。

マイクロソフトはもともとマウスやキーボード、ゲームパッドなども手掛けてきましたが、本格的にゲームに参入したのは２０００年に入ってからです。２０００年に本格参入を発表すると、01年に家庭用テレビゲーム専用機のＸｂｏｘを発売。05年にはＸｂｏｘ ３６０の後継となるＸｂｏｘ３６０を発売しています。また、13年にはＸｂｏｘ ３６０の後継としてＸｂｏｘ Ｏｎｅも発売しています。

これらのゲーム分野は、任天堂やソニーといったメーカーに比べればまだまだですが、同社の売上の中では8％程度で、ＧＡＦＡＭの他の企業と比較すれば大きな存在感を持っています。また、このゲーム端末の開発やゲームそのもののソフト開発、それに販売といったノウハウは、今後メタバース分野に活きてくるはずです。

というのも、マイクロソフトが今後の戦略の中でクラウドとともに重点を置いているのが、「**複合現実（ＭＲ）**」だからです。フェイスブックが社名を変更してまでメタバースに取り組むように、あるいはアップルが開発しているのはＶＲ・ＡＲゴーグルではなく、ＭＲゴーグルだと噂されているように、マイクロソフトもまた覇権を握るべくＭＲに乗り出しているのです。

マイクロソフトはＭＲを「**４つ目のプラットフォーム**」と位置づけています。１９７０年代のメインフレームの時代を１つ目のプラットフォームだとすれば、１９９０年代のＰＣが２つ目のプラットフォーム、２０００年代のスマホが３つ目、そしてこれに続く４つ目のプラットフォームがＭＲなのです。

マイクロソフトがＭＲに乗り出した当時、まだメタバースという表現は一般的ではありませんでした。当時はＶＲ（仮想現実）やＡＲ（拡張現実）を、たとえばゲームなどに取り入れて新しいゲームを開発したり、建築や不動産業に取り入れたりするといった考えが主流でした。このＶＲ、ＡＲの両方を合わせ、現実世界と仮想世界を融合させ、しかも相互にリアルタイムで影響し合う空間として、ＭＲ（複合現実）を目指したのがマイクロソフトなのです。現在のメタバースに最も近い構想だといっていいでしょう。

実際、同社は16年にＡＲ、ＭＲに対応する「ホロレンズ（HoloLens）」というゴーグル型ヘッドマウントディスプレイの販売を開始しています。

さらに19年には、ホロレンズの後継となる「ホロレンズ２」を発売しています。このホロレンズ２は、ＭＲ体験ができるようになった製品です。

21年３月には、マイクロソフトのＭＲプラットフォーム戦略の核ともいうべき「マイクロソフト・メッシュ（Microsoft Mesh）」を発表しています。これは同社のクラウド事業であるアジュールを基盤とし、マイクロソフトやサードパーティ事業者がMRアプリを開発し、さらにこれらのアプリを利用するためのデバイスやハードウェアを開発するための技術プラットフォームです。

その後、VRとARの両方をあわせたMRという概念が出てきて、仮想世界と現実世界の情報を同時にユーザーに提供することで、仮想空間と現実空間との間でリアルなコミュニケーションが可能な複合現実が、新しいメタバースの概念として定着してきています。

マイクロソフトのMRプラットフォーム戦略は、この新しい概念のメタバースに対応するものなのです。

コロナ禍を経験して、ビジネス現場でもリモートワークという働き方に注目が集まり、日常業務にも取り入れられてきました。MRはこの働き方を推進する上でも、大きな威力を発揮するものです。マイクロソフトがMRによって、新たなステージに立つ日も近いかもしれません。

マイクロソフトが狙うテックの「次」

現在のマイクロソフトの主力はクラウド事業ですが、前述のようにクラウドはアマゾンと大きくシェアを二分しており、さらにグーグルがこれを追随し、中国企業も虎視眈々《こしたんたん》とその座を狙ってきています。

他の部門では、検索サービスなどにＡＩの利用を盛り込み、ＭＲにも力を注いでいます。しかし、実際にはマイクロソフトが次の一手と考えているのは、「**アンビエントコンピューティング**（Ambient Computing）」だといってもいいでしょう。

アンビエントというのは、「周囲」とか「環境」といった意味です。これにコンピューティングを付けて、周囲のさまざまなデバイスをコンピュータとして利用すること、またはそのような使い方を指しています。

かつては「ユビキタスコンピューティング」とも表現され、コンピュータが至るところにあり、いつでもどこでも使える状態を表す概念でした。当初は、どこでもインターネットにアクセスできるモバイル・コンピューティングを指していましたが、今では当たり前にそんなコンピューティング環境が出来上がっています。

マイクロソフトが考えるアンビエントコンピューティングは、この先を行くものです。コンピュータがあり、マウスがあり、キーボードがあり、それらがインターネットに接続している状況というのは、すでにスマホでも可能になっています。その先を行くコンピューティングとは、パソコンやスマホといった特定のハードウェアを使うのではなく、周辺に存在するさまざまなデバイスが、ユーザーのやりたいことを先回りして認識し、自動的に実現してくれる環境を指しています。

現在でもすでにスマートスピーカーやウェアラブルコンピュータといったもの、あるいはスマートハウスやもっと進んだスマートシティなどが、これに近い概念で動作している部分もあります。

アンビエントコンピューティングを実現するためには、さらに拡張現実やメタバース、AIといったものを組み込む必要があります。IoTが進み、IoAが進み、自動運転が可能な車やAIを組み込んだロボットに囲まれる環境――。

マイクロソフトはすでにこれらのアンビエントコンピューティングを実現するために、スマホに代わる新しいデバイスの開発を進めているようです。

これらは「テック」……テクノロジーであることには変わりませんが、環境そのものであるといってもいいでしょう。**あらゆる場所でコンピューティングが可能な環境**、これがマイクロソフトが考えるアンビエントコンピューティングなのでしょう。マイクロソフトは「テック」から次の段階を見据えた開発を目指しています。

その意味でいえば、マイクロソフトはビッグ・テックから一歩抜け出そうとしている企業だともいえるのです。

第7章

ライバル企業の急先鋒テスラ

GAFAM + Tesla

ブランドイメージが変化するテスラ

本書で取り上げているGAFAMは、ビッグ・テックと呼ばれる企業です。アメリカの情報技術産業を牽引する企業で、最も規模が大きく、他のテック企業の中でも業界を牽引する企業を指しています。

ビッグ・テックは「テック」の名からもわかるように、コンピュータ、ソフトウェア、Eコマース、オンライン広告、家電、クラウド・コンピューティング、AI、ソーシャルネットワークなど、扱っている領域は各社によって異なっていますが、それぞれ売上や影響力などの点で、まさにトップ企業ばかりです。

このビッグ・テックの中で、テスラを含めて論評するのはちょっと違うのではないかと思われる読者もいるでしょう。しかも、テスラが扱っているのは主に電気自動車であり、家庭用からグリッドスケールまでのバッテリー電動輸送機器、それにソーラーパネルや関連製品です。

他のビッグ・テックと比べると、製品に大きな違いがあります。片やコンピュータやソフトウェア、クラウドといった製品、片や電気自動車です。同列に並べて語るのに違和感があるのももっともです。

しかし、テスラは大雑把にいってしまえば電気自動車メーカーですが、この電気自動車は現在大きな変換期を迎えています。自動運転を軸にＡＩが盛り込まれ、ＯＳやプラットフォーム、エコシステムといったものを作り上げ、支配する企業こそが、次世代の自動車産業を牽引することになる点です。

プラットフォームやエコシステムという点では、ビッグ・テックもテスラも製品は異なっているものの、目指すところは同じなのです。

しかもテスラのイーロン・マスクＣＥＯは、22年から23年にかけてツイッターを買収し、ビッグ・テックと同じ土俵に立っています。もちろん、ツイッターを買収したのはテスラではなくマスクですが、ツイッターはマスクの「X Corp.」という会社の運営になったようです。

またマスクは、スペースXという企業のＣＥＯも務めています。このスペースXという会社は、正式にはスペース・エクスプロレーション・テクノロジーズ（Space Exploration Technologies Corp.）という社名で、宇宙輸送サービスや衛星インターネットプロバイダーなどを提供する航空宇宙メーカーです。

アマゾンの創業者ジェフ・ベゾスが、航空宇宙企業であるブルーオリジン（Blue

Origin, LLC）の創業者であるのと似ています。

いずれにしろ、最先端技術の開発や、それを利用した製品を作り、サービスを提供している点では、テスラはビッグ・テックの他の企業と同類だといえるのです。しかもマスクの思惑によっては、次のビッグ・テックの1社としてビッグ・テック入りを果たす可能性もあります。

ところで、テスラというと「高級電気自動車メーカー」というイメージが定着していますが、すでにこのイメージは過去のものになっています。その証拠に、もともとテスラは03年の創業時に「テスラモーターズ」という名前でしたが、17年2月に「テスラ」に社名変更しています。その前年の16年11月に、太陽光発電事業を手掛けるソーラーシティを買収し、自動車メーカーとしてよりも交通・エネルギー企業として事業を拡大していくために、社名から「モーターズ」を削除したのです。

さらにテスラは、同社の事業目的を「世界を持続可能なエネルギーへ」としており、自動車メーカーから脱皮しつつあります。テスラはすでに自動車メーカーではなく、「クリーンエネルギーを作る×蓄える×使う」という**「クリーンエネルギーのエコシステム」の会社**なのです。その意味では、テスラはすでにビッグ・テックに加えてもいいのではないでしょうか。

なぜ、テスラの時価総額は高いのか？

テスラとビッグ・テックを比較すると、売上高や利益高がテスラは他のGAFAM企業より低いことがわかります（図7-1）。

22年の決算書で比較すれば、売上高ではGAFAMトップのアマゾンが5139億8300万ドル、下位のメタが1166億9000万ドルであったのに対し、テスラは売上高814億6200万ドル、最終利益（純利益）は125億8700万ドルでした。

数字だけで見れば、桁が1つ違うのです。**ところが、企業の価値を表す指標のひとつ、時価総額で見ると違った面が見えてきます。**

表7-1は世界の企業の23年4月時点の時価総額ランキングです。アップルが2兆5400億ドルとトップで、2位がマイクロソフトの2兆1100億ドル。3位から5位のアマゾンまでが1兆ドルを超えています。テスラは5835億ドルですが、世界で第8位の時価総額を持つ企業なのです。

ちなみに同じ時期の日本企業では、トップがトヨタ自動車の36兆4884億円、以下ソニーグループが15兆7383億円、キーエンスが14兆2957億円、NTTが11兆894

6億円と続きます。

間違えてはいけません。時価総額トップのアップルは、日本円に換算すれば約340兆円なのです。トヨタの10倍もの時価総額になります。テスラの時価総額も日本円に換算すれば約78兆円。こちらもトヨタの2倍以上の額になります。

時価総額というのは、株価に発行済株式数を掛けたものですが、時価総額が高いということは、業績が良く、また将来の成長に対する期待も大きいことを表しています。

では、なぜテスラの時価総額が高いのでしょうか。売上高で見れば、テスラは814億6200万ドル（日本円で約10兆9千億円）、トヨタは約3兆6千億円（22年度予測）です。03年に創設されたテスラが、わずか20年ほどで並み居る老舗自動車メーカーの何倍もの時価総額を誇っているのは、テスラが自動車だけを作っている会社ではないからです。テスラが何を作っているのか、次項から説明していきましょう。

テスラはクリーンエネルギーのエコシステムの会社

テスラは、03年に米デラウェア州でマーティン・エバーハードとマーク・ターペニングという2人のエンジニアによって創設された会社です。

■図7-1　GAFAMとテスラの2022年売上高

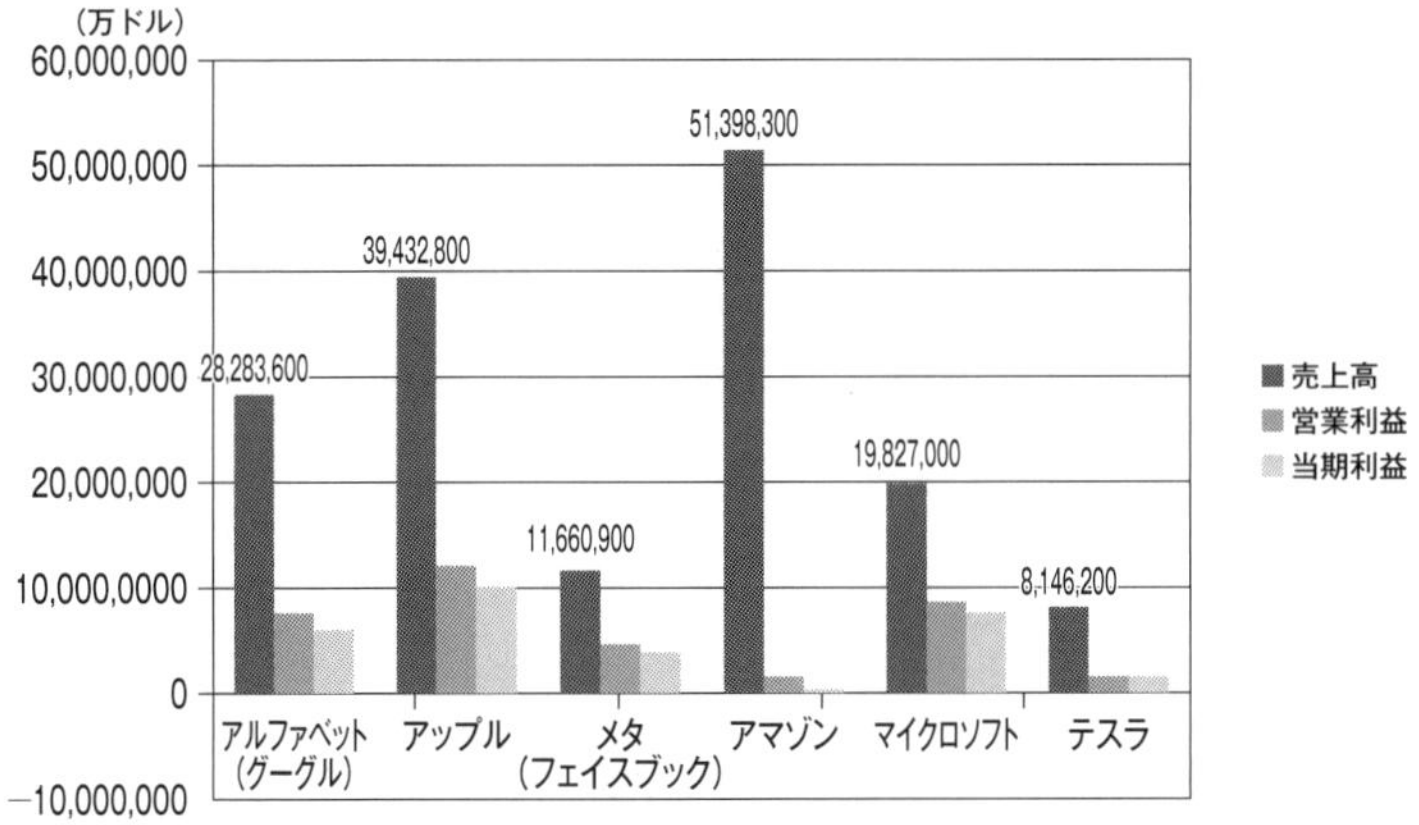

※決算期末は、アップルは９月末、マイクロソフトは６月末
出所：各社決算書より作成

■表7-1　世界企業の時価総額トップテン（2023年４月現在）

順位	企業名	時価総額（億ドル）
1	アップル	25,400
2	マイクロソフト	21,100
3	サウジアラムコ	19,037
4	アルファベット	13,500
5	アマゾン	10,200
6	バークシャー・ハサウェイ	6,918
7	エヌビディア	6,710
8	テスラ	5,853
9	メタ・プラットフォームズ	5,544
10	テンセント	4,586

■表7-2　電気自動車の種類

種類	概要
HV	ハイブリッドカー。動力源を2つ以上持つ自動車で、通常はエンジンとモーターの2つの動力を搭載し、効率的に使い分けることで低燃費を実現している
EV	電気自動車。電気をエネルギー源とし、電動機で動く自動車。ガソリンのような化石燃料を燃焼しないため、二酸化炭素や窒素酸化物、いわゆる排気ガスがまったく出ない
PHV	プラグインハイブリッドカー。ガソリンエンジンを積んだ自動車で、エンジンとモーターの2つの動力源を搭載している。プラグを利用して充電できるようになっており、給電した電力だけでも走らせることができる。HVの利便性を残しながら、よりEVに近いタイプの自動車
FCV	燃料電池自動車。燃料電池を搭載し、発電しながら電動機を動力で走る電気自動車。燃料電池に水素やメタノールなどを使用し、走行時に排気ガスを排出しない

イーロン・マスクが参加したのは、翌04年です。このときイーロン・マスクはテスラに750万ドルを投資し、会長として経営に参画しています。さらに05年には1300万ドル、06年には4千万ドルを調達し、08年にCEOに就任しています。

イーロン・マスクはもともと98年にピーター・ティール（投資家）と共同でペイパル（PayPal Inc.）という会社を創設しています。これはインターネットを利用した決済サービスを提供する会社でしたが、02年にネット通販のイーベイ（eBay）に買収されています。

この買収で、イーロン・マスクは巨額の富を築いたといわれています。ペ

■図7-2　クリーンエネルギーのエコシステム

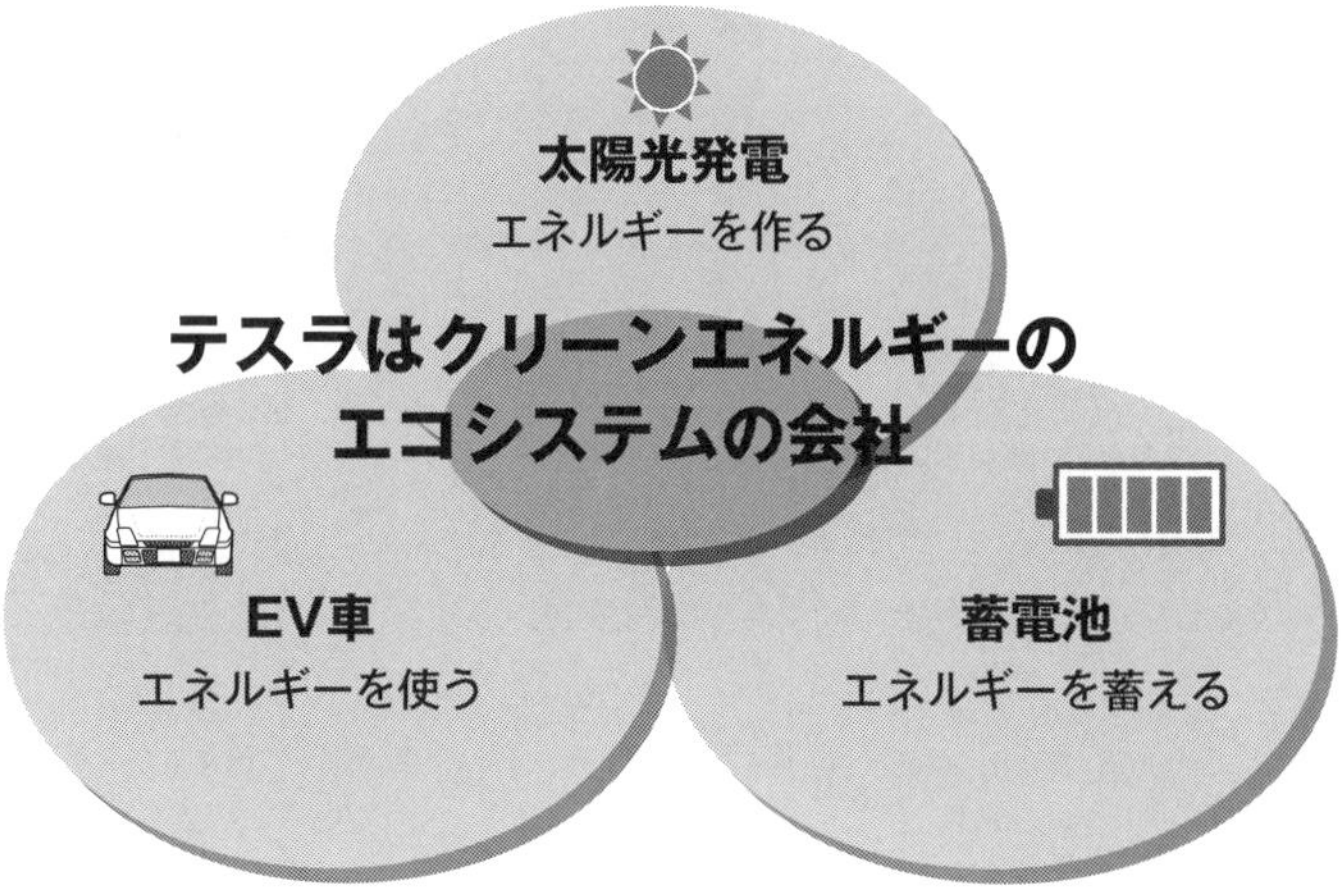

イパルの買収によって富を築いた者は、「ペイパル・マフィア」とも呼ばれており、以後さまざまなところで顔を出してきます。

　ところで、テスラのＣＥＯとなったマスクは、06年にテスラ最初の電気自動車（ＥＶ）である「ロードスター」を発表しています。ひと口に電気自動車といっても、ＨＶ、ＥＶ、ＰＨＶ、ＦＣＶなどいくつかの種類があり、簡単に説明すると、それぞれ表7-2のようになります。

　このように同じ「電気自動車」とはいっても、動力源やシステムが異なっているのです。テスラが発売したのは、これらのうちＥＶ車、つまり完全に電気だけで動く自動車でした。しかも、これまでのＥＶ車のイメージを覆すもので、わずか3・7秒で

■図7-3　テスラの「スーパーチャージャー」

時速ゼロから96キロまで加速するという高性能なものでした。

ＥＶ車を製造販売する傍ら、テスラは16年にはソーラーシティ社を買収し、太陽光発電システムの提供を開始します。さらに家庭用リチウムイオン蓄電池のパワーウォールを、企業や電力会社向けの蓄電池のパワーパックを、それぞれ開発・販売してもいます。

また14年にはＥＶ用の急速充電器「スーパーチャージャー」を、中国・上海に設置し、以後これまでに１３００カ所以上のステーション、９３００基以上のスーパーチャージャーを設置しています。

こうしてテスラの製品を見ていくと、テスラの戦略がよく見えてきます。太陽光でエネルギーを作り出し、このエネルギーをＥＶ車で使い、さらに蓄電池でエネルギーを蓄える。**テスラは、クリーンエネルギーのエコシステムを作り出した会社なのです。**

クリーンエネルギーは人類を救済する

テスラ、言い換えればイーロン・マスクは、なぜクリーンエネルギーのエコシステムを作り出したのでしょうか。それは「人類救済」のためです。

荒唐無稽だと思うでしょう。誰でもそういぶかしむはずです。しかし、マスクは一貫してこの「人類救済」を口にしているのです。

1971年に南アフリカ共和国に生まれたイーロン・マスクは、その後アメリカに渡り、ペンシルバニア大学で物理学と経済学の学位を得ています。大学を卒業すると、スタンフォード大学院に進みますが、当時からインターネットとクリーンエネルギー、それに宇宙の3つが、人類の将来に大きな影響を与えると考えていました。そのため、スタンフォード大学院をわずか2日で休学してしまうと、弟のキンバルとともにソフトウェア制作会社を創業しています。

その後、99年にXドットコムを設立してオンライン金融サービスと電子メール決済のサービスを始めますが、競合するペイパルと合併。さらに02年、ペイパルをイーベイに売却しています。

ペイパル売却で、マスクは１７０億円もの個人資産を手にしたといわれています。この莫大な資産を元手に、まず始めたのが民間宇宙企業「スペースX」の設立です。

02年、マスクはカリフォルニア州ホーソンにスペースXを設立しましたが、その目的は「人類を火星に移住させ、植民地化を可能にするための宇宙輸送コストを削減する」ためなのです。その言葉通り、スペースXでロケットを開発し、20年には民間企業として初めて、有人宇宙船を国際宇宙ステーション（ＩＳＳ）に到達させています。

さらに惑星間宇宙飛行を見据え、超大型ロケットの開発にも着手。これは火星植民地化のカギとなるものです。また20年には衛星インターネットのスターリンクにも参入しており、現在では**世界最大の衛星コンステレーション事業者**となっています。

冗談ではなく本気で、マスクは火星移住を考え、そのための行動を起こしてきたのです。世界の人口はすでに70億人を超え、人類による環境破壊が進み、石油資源も枯渇しようとしています。

この地球とともに滅びるよりも、火星に移住して生き延びよう、そう考えたのかもしれません。しかし、スペースXがロケットを完成させるのはまだ先の話です。火星に移住できるようになるまで、少しでも地球滅亡を遅らせるために、排気ガスを撒き散らすガソリン車に代わる電気自動車を開発し、クリーンエネルギーを使おう――これがテスラによるクリーンエネルギーのエコシステムの土台です。

マスクにとって、テスラとテスラで作るＥＶ車は、クリーンエネルギーのエコシステムのためにどうしても必要なものだったのです。それが人類を滅亡から救うための、唯一の方策なのです。

テスラは自動車業界のビジネス構造を変革した

前述のように、イーロン・マスクはイーベイがペイパルを買収したとき、大きな資産を得ています。その資産でテスラを買収したのかというと、そうではありません。

確かに投資はしていますが、テスラは04年に７５０万ドル、05年には１３００万ドル、さらに06年に４千万ドル、07年にも追加で４５００万ドルもの資金を調達しています。これらの投資は、すべてマスクによって主導されたものです。

これまでの自動車メーカーは、どこもたいていは自動車以外の事業で成功して資産を築いた者が、これを元手に工場を立ち上げるのが普通でした。新しく事業を始めるわけですから、生産コストを抑えて製品（車）を作り、これに利益を上乗せして売るというのが事業モデルです。トヨタでも日産でも、あるいはフォードでも同じです。

ところがテスラは、こうした自動車メーカーとは本質的に異なっています。そもそもテスラはクリーンエネルギーのエコシステムの会社で、そのための事業モデルが２００６年に「マスタープラン」としてまとめられました。

それは、①最初に高級スポーツカーを作る（ロードスター）、②その売上で手頃な価格の車を作る（モデルＳ、モデルＸ）、③その売上でさらに手頃な価格の車を作る（モデル３）、④以上の手順を繰り返しながら、ゼロ・エミッションの発電オプションを提供する、といったものでした。つまり当初は富裕層向けのみであったＥＶのラインアップを大衆向けにも広げていくという戦略で、テスラはこれを見事に実現させせました。

２０１６年には「マスタープラン・パート２」を発表。そこでは、①バッテリーストレージとシームレスに統合されたソーラールーフを作る、②すべての主要セグメントをカバーできるようＥＶの製品ラインナップを拡大、③世界中のテスラ車の実走行から学び、人が運転するより10倍安全な自動運転機能を開発、④車を使っていない間、その車でオーナーが収入を得られるようにする、といった事業モデルが新たに掲げられ、現在進められています。

こうしてテスラは、難しいとされてきたＥＶ製造事業での量産化・収益化をいち早く実現させてみせました。販売も順調に伸び、22年には１３１万３８５１台が販売されていま

■図7-4　テスラの販売台数推移

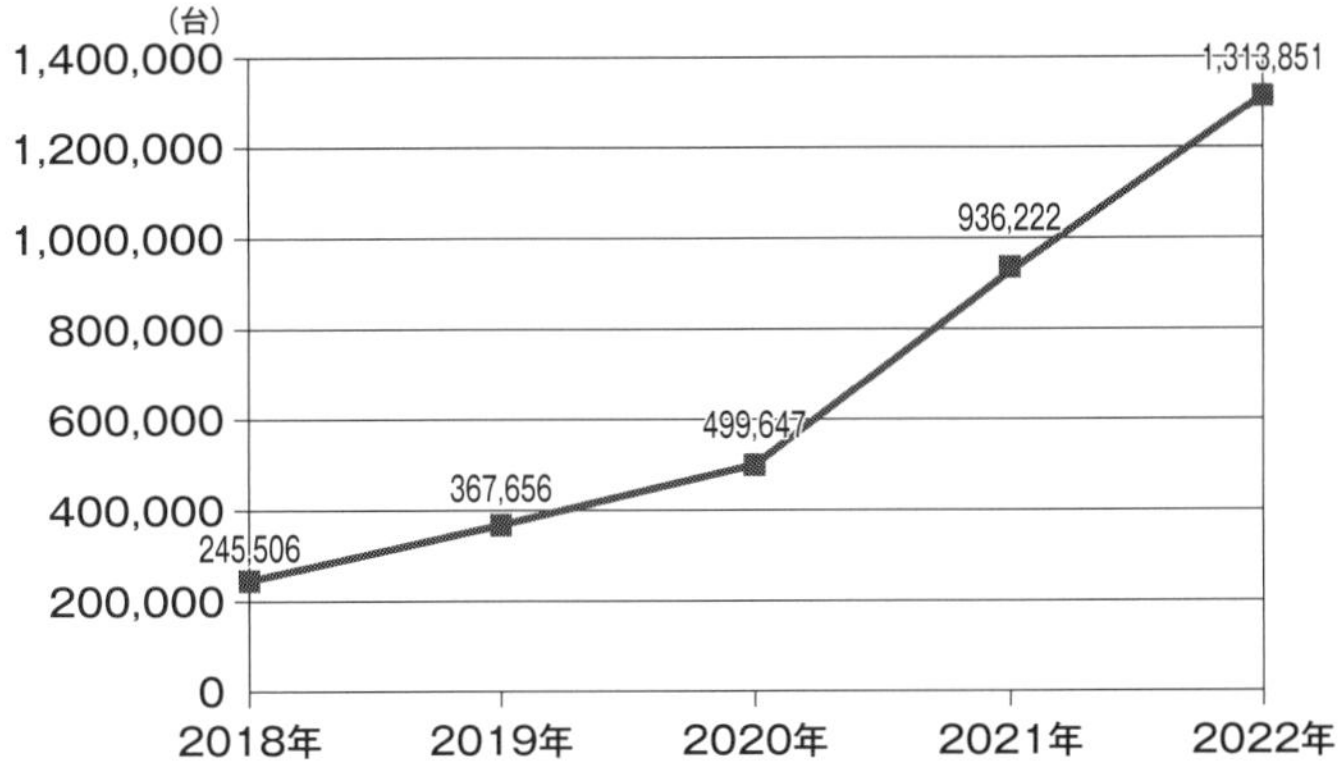

■図7-5　自動車販売数比較（2022年）

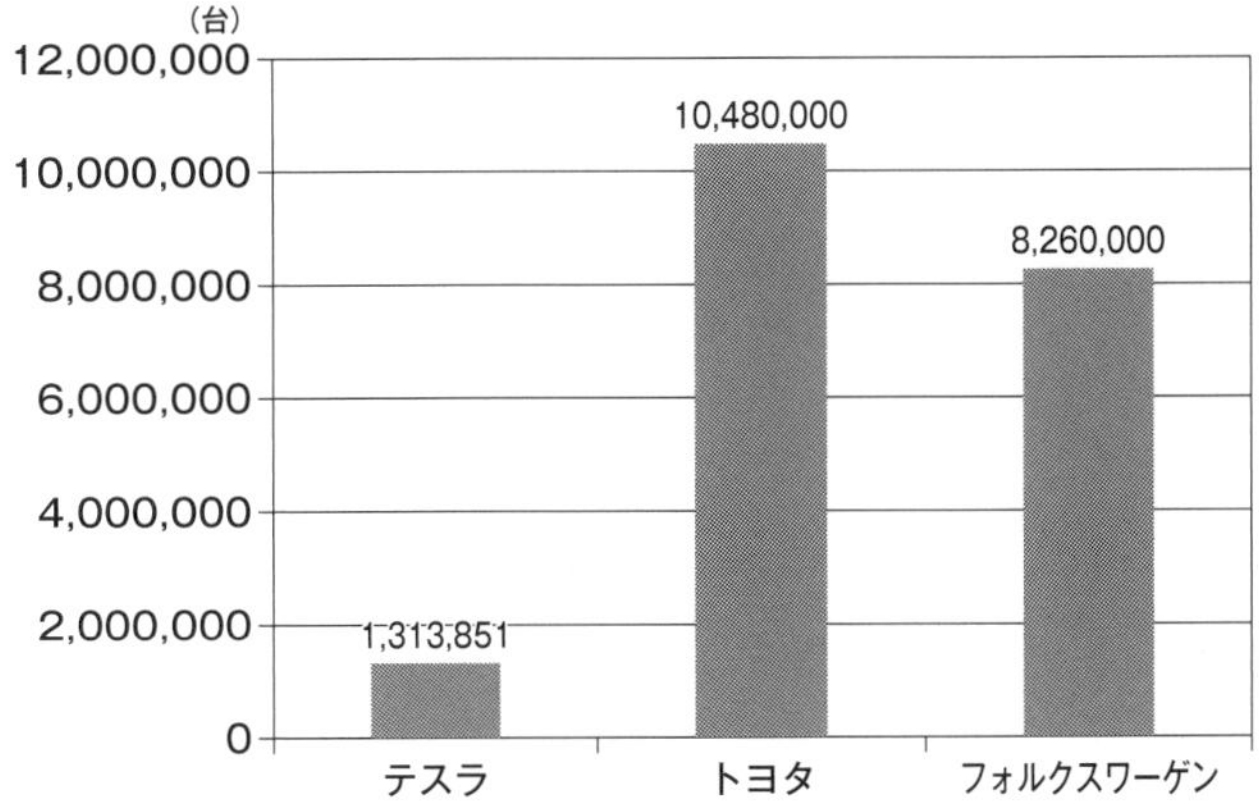

す（図7－4）。

もっとも22年の新車販売台数は、テスラの131万3851台に対して、トヨタ自動車が1048万台、独フォルクスワーゲングループが826万台で、その差は一目瞭然です（図7－5）。しかしその一方で、先にも述べましたが、テスラの時価総額は他の自動車メーカーを凌駕しています。これは、株式市場がテスラをEVメーカーとしてだけではなく、**最先端テクノロジーを駆使してクリーンエネルギーのエコシステムを作り出す企業、テクノロジー企業としても評価しているから**です。

このようにテスラは、これまでの自動車業界のビジネス構造を大きく変革した企業なのです。

自動車を進化させるより工場を進化させたほうが効果が高い

22年4月、米テキサス州オースティンに、テスラにとって4番目の工場が完成しました。「フル稼働すれば、アメリカで最も生産量が多い自動車工場になる」とイーロン・マスクが新工場開設イベントで述べたように、このオースティンの工場では少なくとも年間50万台の自動車が生産されるそうです。

同社の22年の自動車販売台数は、約131万台でした。テスラには、テキサス州フリーモントに工場があり、ベルリン、上海にも生産工場があります。これらをテスラでは「ギガファクトリー」と名付けています。これらのギガファクトリーがフル稼働すれば、年間約200万台の生産が可能になります。22年の販売数よりも70万台も多く生産できるわけです。

テスラのギガファクトリーでは、組み立てるための車両が無人搬送車の上に載せられてラインを流れてきます。一般的な自動車工場なら、ベルトコンベアで運ばれてくる場面です。

無人搬送車に載って運ばれてきた車両に、もし不具合があっても、ギガファクトリーではコンベアを止める必要がありません。不具合のあった車両だけ除けばいいからです。自動車メーカーとしては新興のテスラだから、新しい生産方法を採用しているのだろうと考えますが、これはよく練られた方法です。

自動車を1台作るためには、約3万点の部品が必要だといわれています。これまでの自動車メーカーでは、商品のコンセプトや設定、それに最終組立てと販売などをメーカーが担当していました。これをコンストラクター（建設者）と呼んでいますが、実際の部品そのものは部品メーカーが製造してコンストラクターに納入します。こちらはサブプライヤー（供給者）と呼ばれています。あちこちのサプライヤーが製造して納品された部品を、コンストラクターが組み立て、完成品を販売するわけです。

ところがテスラでは、自動車の製造工程のほとんどすべてをギガファクトリー内で完了させてしまいます。というのも、テスラが製造しているのはEV車です。極端にいってしまえば、このEV車のコアとなるのはバッテリーとソフトウェア、そして独自のモーターの3点なのです。エンジンは最初からありません。**「炭化水素経済から太陽電池経済への移行を促進する」ことを目的に、マスクはテスラで電気自動車を製造しているのです。**最初からエンジンという部品は不要なのです。

テスラの組立てで必要になるボディ、モーター、バッテリーといった主要部品は、テスラの工場内で製造されています。テスラには、サプライヤーがほとんど存在しないのです。「マシンである自動車を進化させるより10倍も、マシンを作る工場を進化させたほうが効果が高い」

16年の株主総会で、マスクはこう発言しています。「工場を、マシンを作るマシンと考える」とも述べています。このマスクの発想は、「アウトプット（生産台数）＝ボリューム（生産規模）×密度（生産拠点の稠密性）×速度」という式に落とし込まれ、これに沿ってギガファクトリーが稼働しているのです。これまでの自動車工場は、労働投入量や稼働率、労働分配率、在庫回転日数などを指標として運営されてきました。

マスク氏は、この物理学的思考によって、自動車工場そのものを変革してしまったのです。

収益性より販売を重視するテスラの値下げ

テスラは販売台数や利益率について、それほど重要視していないと記しましたが、22年後半から23年初頭にかけてその考えを若干修正したようです。

もちろん、根本は変わっていないでしょう。しかし、22年第3四半期以降、目立って販売台数より生産台数が上回ってきています（図7-6）。早い話、**在庫が増えている**のです。

また、サプライヤーコストの削減も必要になったため、23年1月にアメリカ、ヨーロッパ、中国、アジアの各市場でテスラの大幅な値下げを実行しています。さらに3月には、米国内で再び大幅な値下げを行いました。

1月の値下げでは、欧州で最大8千ポンド（約125万円）もの値下げを行っています。

もともとテスラは高級車というイメージがあり、実際「モデルSロングレンジAWD」で約1300万円、「モデルSプレイド」は約1600万円もしました。これが今回の値

■図7-6　テスラの生産台数・納車台数

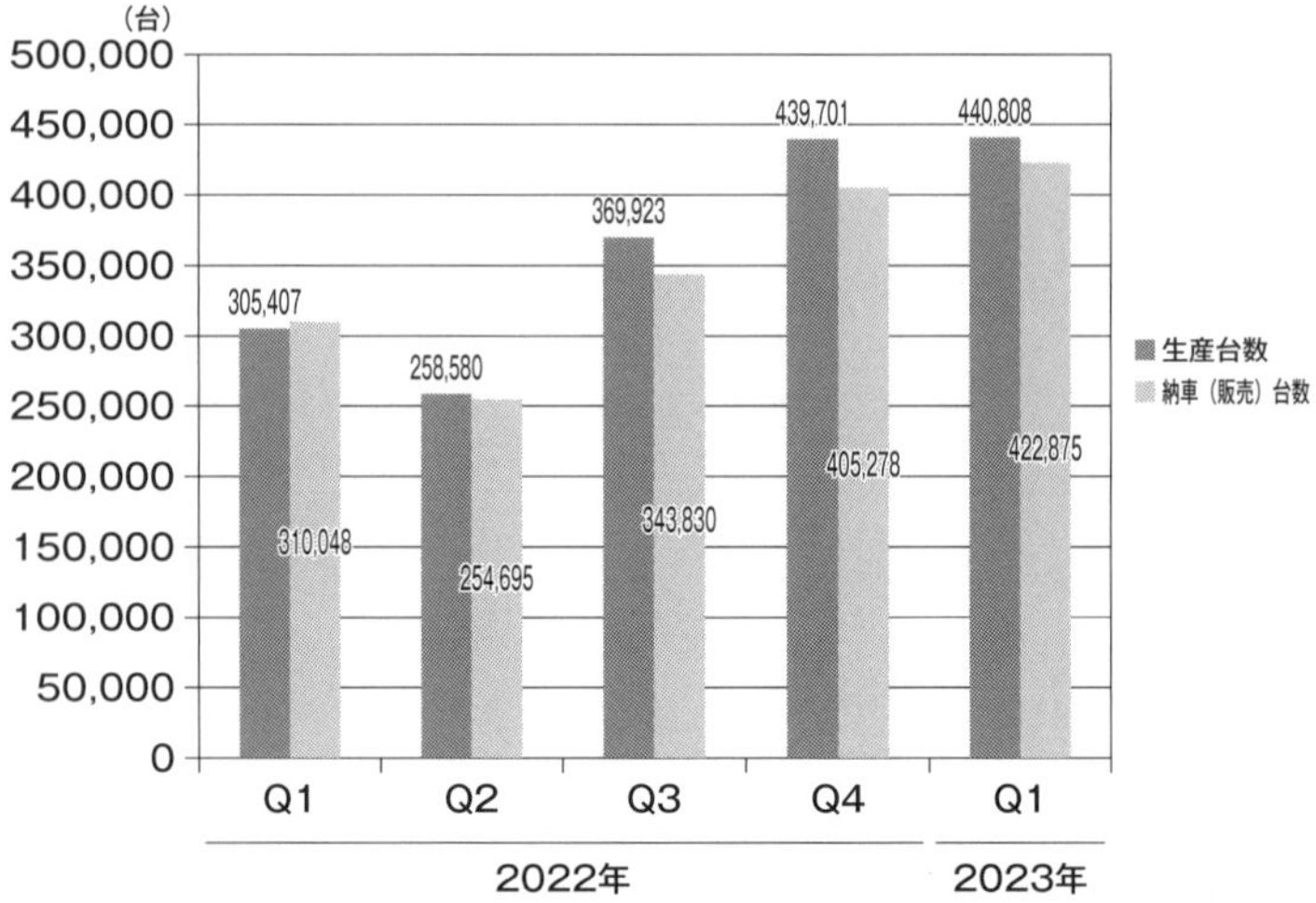

下げによって、それぞれ1240万円、1515万円へと値下げされたのです。

実は22年前半には世界的な半導体の不足で、テスラも製品の価格を引き上げてきました。今回の値下げは、「コストインフレの一部正常化」とテスラでは正当化していますが、特に中国市場で低価格EV車が出てきており、販売台数の維持には欠かせない対策なのでしょう。

また、テスラの棚卸資産を見ると、前年同期と比較すれば2倍以上もの額になっています（図7-7）。値下げしなければ売れないという考えもあるのでしょう。

前述のように、テスラは「スーパーチャージャー」という充電ステーションを自前で作っています。特に中国には、シ

■図7-7　テスラの棚卸資産

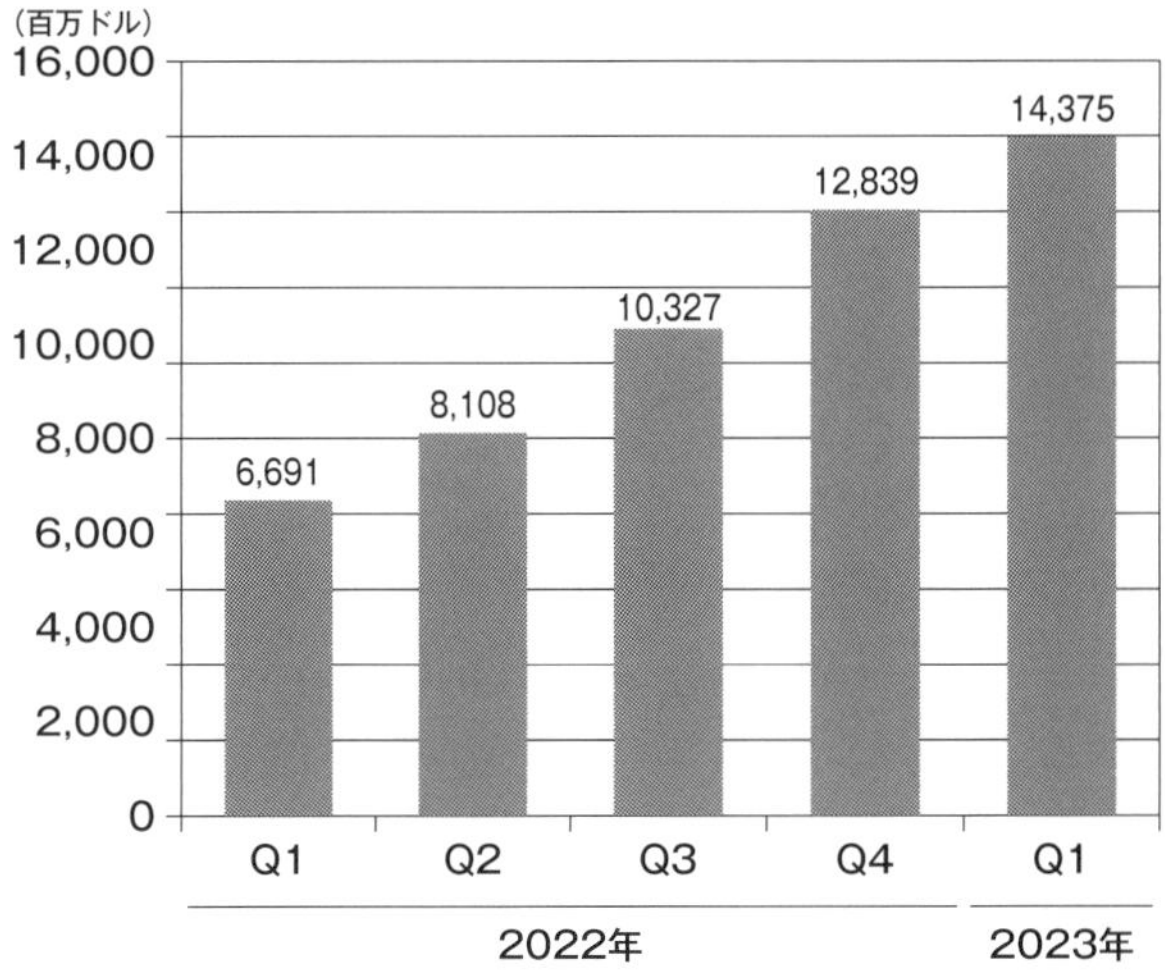

ルクロードに沿ってスーパーチャージャー・ルートと呼ばれる全長5千キロにも及ぶスーパーチャージャー・ステーションが設置されています。

テスラの販売台数が減少すれば、このスーパーチャージャーも無駄になりかねません。このスーパーチャージャーや充電ステーションの数を、新車の発売に合わせて2倍にする計画もあります。

中国に限らず、テスラは以前からディーラーを通さず、自社で直接販売を行ってきました。これまでの自動車メーカーとはこの点でも異なっていますが、さらにテスラでは**自動車で利用されているソフトウェアを、インターネットを経由してアップデートできる**ようにしています。

スマホのＯＳやアプリケーションではもはや常識ですが、テスラは自動車のソフトウェアさえ、インターネット経由でアップデートできるようにしつつあるのです。

なぜ、インターネット経由でのアップデートが必要なのでしょうか。もちろん、ディーラーを通さずに販売されていることもありますが、自動運転のソフトのアップデートや、走行距離、走行日時、さらにどこを走ったのかといった、ユーザーのデータをインターネット経由で回収することも可能になるからでしょう。

テスラ車は単なる電気自動車ではなく、データを生み出す道具となっているのです。そしてテスラは自動車メーカーではなく、すでにビッグデータを扱い、ソフトウェアを作成・配布する、テック企業となってきているのです。

テスラの自動運転

すでにテスラは、テック企業の仲間入りを果たしています。イーロン・マスクがツイッターを買収したからという理由だけではありません。

また、テスラの自動運転のソフトを、インターネット経由でアップデートできるようにしているから、といった理由だけでもありません。**このテスラに備わる自動運転機能こそ、**

テスラがテック企業であることの何よりの証拠です。

自動車の自動運転機能に関しては、早くからテック企業が目を付けてきました。GAFAMだけでなく中国を中心とするBATH（バイドゥ、アリババ、テンセント、ファーウェイ）でも同じです。

たとえばグーグルは、09年にはすでに自動運転開発プロジェクトを立ち上げ、自動運転の実現に向けた活動にも取り組んできました。自動運転可能な車のプロトタイプを開発し、公道での自動運転が可能になるよう、各州でロビー活動さえ行っています。

また、15年にはテキサス州オースティンの公道で、ファイヤーフライ（Firefly）というオリジナルのプロトタイプ車で、世界初の自動運転走行を実施してみせました。

アップルからは公式発表はまったくありませんが、20年頃には長らく噂されていた「アップルカー」の製造をめぐり、さまざまな報道が飛び交っています。すでにアップルが自動運転の開発に乗り出していることは公然の秘密で、16年には1千人規模の開発チームが動いていると、『ブルームバーグ』が報じています。

アマゾンは、直接的には自動運転の開発には着手していないようですが、クラウドサービスのAWSで自動運転の開発を支援するサービスを提供しています。

もともとアマゾンでは、ドローンによる自社EC向けの宅配や、宅配ロボットの開発が進められており、自動運転技術もこれらの開発に役立つはずです。自動運転による宅配ドローンの登場も、そう遠くないでしょう。

クラウドサービスでの支援とともに、アマゾンでは「アマゾン・ベッドロック（Amazon Bedrock）」というサービスも提供すると、23年4月に発表されています。これはアマゾンのクラウドサービスであるＡＷＳで、企業や開発者が生成ＡＩを利用するアプリを手軽に構築できるようにするもので、これで生成ＡＩの分野ではマイクロソフト、グーグル、アマゾンの３社が出そろいました。

アマゾンは「生成ＡＩの中立国スイス」を標榜し、ベッドロックでは他社の基盤モデルも使用できることを強調しています。現在広く普及しているスマートスピーカーなどのアレクサにも、このベッドロックが搭載されるようになれば、アマゾンの大きな起死回生策となりそうです。生成ＡＩを武器として、マイクロソフトはクラウドではアマゾンから、検索ではグーグルから、それぞれさらにシェアを奪おうとしていますが、アマゾンはベッドロックで対抗してくるでしょう。

自動運転では、マイクロソフトは自社で自動車の製造やモビリティサービスの提供を行うつもりはないと断言していますが、代わりにアジュールの顧客である自動車メーカーにさまざまな支援を行うと発表しています。

20年1月には、マイクロソフトのクラウドサービスやAIサービスを通じ、あらゆる規模の自動車関連企業がスマートモビリティプロバイダーへと変革できるよう、最大限支援すると述べています。

中国で自動運転開発をリードしているのは、バイドゥ（百度）です。同社は「プロジェクト・アポロ（Project Apollo）」という自動運転開発のオープンフラットフォーム・プロジェクトを行っており、このプロジェクトには中国国内ばかりでなく、世界各地の開発企業が参加しています。

また、北京、成都、武漢、長沙など自動運転タクシーの実用実証も進んでおり、すぐにでも有料サービスが提供できるところまできています。

テスラは14年に発表したモデルSに、オートパイロットを可能にするハードウェアを導入しています。このハードウェアは、前方レーダーと車の周囲約5メートルを感知するセンサー、それに高精度のデジタル制御電動アシストブレーキなどで構成されており、レーンキープやアクティブクルーズコントロールを可能にするものでした。

ただし、これらのハードウェアや機能は、オートパイロットのほんの最初のステップで、以後完全自動運転化の達成を目指して、最新の機能を提供していくと発表しています。

しかし22年になって、日本国内のメーカーや独メルセデス・ベンツなどが、レベル3を

■ 図7-8　自動運転のレベル分け

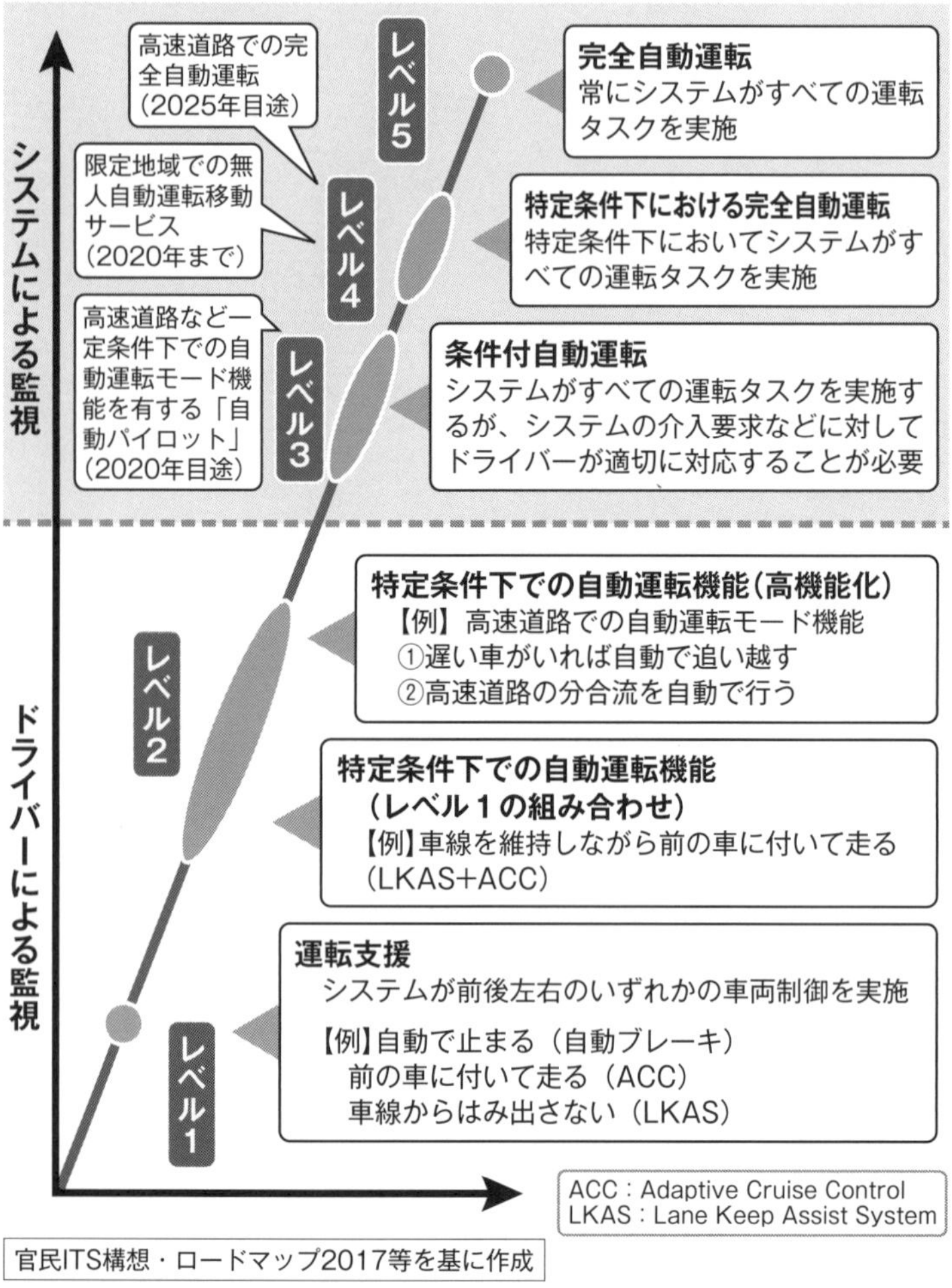

官民ITS構想・ロードマップ2017等を基に作成

出所：「自動運転の実現に向けた国土交通省の取り組み」をもとに作成
URL：https://www.mlit.go.jp/common/001227121.pdf

実現し、レベル4の環境さえ整いつつあるのに対し、テスラはまだレベル3にまで達していません。

自動運転にはできることによって0〜6までのレベルがあり、現在はレベル3が搭載されてきています。これは「高速道路で時速80キロ以内」といった一定の条件下で、ドライバーに代わってシステムがすべての運転を行うというものです。

次のレベル4になると、運転中に何らかのトラブルが発生したとき、安全に路肩に停止するなどが可能で、無人運転も可能なレベルです。

世界ではレベル3を実現し、レベル4さえも目前ですが、テスラはまだレベル3を完全にはクリアしていません。正直なところ、世界に後れをとっているといったところです。

もちろん、自動運転を実現するハードウェアやソフト、システムなとが異なっており、どちらがより完全な自動運転を実現するかは未知数です。テスラは自動運転向けに独自の半導体を開発しており、それによっては一気に自動運転でトップに躍り出る可能性もあります。

衛星インターネットサービス「スターリンク」が大幅値下げ

テスラというより、イーロン・マスクが創業し、CEOを務めている企業のひとつ「スペースX（Space Exploration Technologies Corp.）」は、大型ロケットの開発などを行っていますが、このスペースXの事業のひとつに**スターリンク**（Starlink）があります。

スターリンクは、スペースXが運用している衛星コンステレーション（人工衛星の一群）ですが、この衛星を利用して衛星インターネットアクセスサービスを行っています。携帯電話の衛星版といったところです。

スターリンクの専用アンテナを設置し、これにパソコンなどを接続すれば、スターリンクの衛星を経由してどこでもインターネットに接続できるようになります。もともとネットがつながりにくい山間部や離島、飛行機の中や船舶などの移動中にインターネットへの接続を提供する目的でスタートしましたが、大規模災害時などでネットに接続できないときの予備回線としても期待できます。

スマホや携帯電話などの基地局の代わりともいえるもので、どこにいてもインターネットに接続できる便利さと、移動中も接続可能なことから、次世代のインターネット接続方法としても期待されています。

日本では22年10月からサービスが開始されましたが、スタート当初の料金は、専用アンテナが7万3千円、月額料金が1万2300円となっていました。通信速度は受信する場所によって若干異なってきますが、だいたい20～200Mbpsとなっています。通常の光回線（1～10Gbps）と比較すると速度は劣りますが、ウェブやユーチューブ、ネットフリックスを閲覧する程度なら、遅延もなく問題ない速度です。

このスターリンクのサービスの料金が、23年1月には月額6600円、アンテナも3万6500円へと突然値下げされたのです。

スターリンクは地球全域をカバーしますから、それが月額6600円で利用できるというのは驚きです。光回線でも月額4千～5千円ほどかかりますから、光回線より速度が劣るとはいえユーザーとしては大歓迎です。

しかし、なぜ突然値下げされたのか、その理由が判然としません。サービスを開始してみたものの、予想以上に顧客の獲得に苦しんでいる可能性もあります。逆に、低価格でサービスを提供し、顧客が十分集まったところで値上げする、といったケースも考えられます。イーロン・マスクのスペースXが提供しているサービスということで、余計にさまざまな思惑が乱れ飛んでいます。

ＥＶ自動車からロケット、さらには火星移住へと、イーロン・マスクの考えは一般人には予想もできません。しかし、その天才的な頭脳でテスラは運営されています。その意味でも、テスラの今後の動きに注目してみたいものです。

エコシステムに追加したエアコン

スターリンクが突然値下げされたのと同様、テスラの発表には驚かされることばかりです。たとえば、20年11月には、**テスラが家庭用エアコン事業への参入に意欲を示している**、と『日本経済新聞』が報じて大きな波紋を呼んでいます。

ＥＶ車のテスラにもエアコンが搭載されており、これを家庭用に転用すれば電力消費が減り、マスクが唱える持続可能なエネルギーへの移行という目的に合致します。その意味では、テスラが家庭用エアコンに参入してもおかしくありません。この報道によって家庭用電気機器のダイキン工業の株価が、一時的に下落するといった影響も出ています。

本章で繰り返し述べてきたように、マスクの興味はインターネット、クリーンエネルギー、宇宙の３つに集約しています。それが人類の将来に大きな影響を与えるものだと考えるからです。

特にクリーンエネルギーでは、ＥＶ車を製造販売し、なおかつ太陽光発電によってクリーンエネルギーを作り、これを蓄えるところまで、クリーンエネルギーのエコシステムを推し進めています。この中に家庭用エアコンが入るのは、容易に想像できます。

もうひとつ、23年3月になって、ゼネラルモーターズ（ＧＭ）が人工知能のチャットＧＰＴのような機能を、ドライバー向けに開発中だというニュースも流れてきました。チャットＧＰＴを開発するオープンＡＩの立ち上げにマスクが関わっていましたが、ＧＭの進行具合によっては、テスラもＡＩを取り入れることは十分に考えられることです。

もともと車の自動運転には、ＡＩ機能が盛り込まれています。それとは別に、搭載されたＡＩが運転者と会話をしたり、天気のコンディションによって運転をサポートしたりすることも可能になってきます。ＧＭはマイクロソフトのアジュールと組み、ＡＩアシスタントの開発に取り組んでいるといいますから、テスラ対ＧＭ＋マイクロソフトという競争も起こってくるでしょう。

22年から23年にかけ、テスラは自動車の販売価格を引き下げていると述べました。テスラの大きな市場でもある中国でも値下げしています。一方、中国のＥＶブランドの蔚来汽車（ニオ、ＮＩＯ）は、中国ではローエンドのＥＶ車が主流のところに、テスラと同価格、またはこれを超えるほどの高級ＥＶ車参入に意欲を見せています。

同じく中国では、ＥＶ車をはじめ各種事業を展開しているＢＹＤが、ハイエンドＥＶ車への参入を発表しています。値下げするテスラと高級ブランド化するＢＹＤの激突という図式は、これまでのマーケットでは見られない光景です。

クリーンエネルギーのエコシステムを構築しているテスラは、その意味では一歩先を行っているのですが、中国企業、さらにはＧＭやメルセデス・ベンツ、それに現在はまだ後塵を拝しているトヨタといった企業が、このまま黙って引き下がっているはずがありません。ＥＶ車を軸とする自動車メーカーのテック化には、特にテスラの動向には、まだまだ驚くような展開が待ち受けていることでしょう。

第8章

その他のGAFAMのライバルとなる企業

生成AIの出現でテックが変わる

90年代後半からテック業界を牽引してきたGAFAMは、それぞれ基盤とする分野が異なっています。創業した時期も異なっており、第一線から退いた創業者も少なくありません。

たとえば、アップルを創業したスティーブ・ジョブズは、2011年に膵臓がんによって惜しくも56歳という若さで亡くなっています。そのジョブズと同じ年に生まれたビル・ゲイツは、マイクロソフトを創業して一大帝国を築きましたが、20年に同社の取締役を退任し、現在は実業家、慈善活動家として活動しています。

ジョブズやゲイツより10歳年下のジェフ・ベゾスは、アマゾンを創設して世界トップのネット小売店を作り上げましたが、21年にCEOを退任して取締役会長に就任すると、自ら設立したブルーオリジンで子どもの頃からの夢だった有人宇宙飛行事業に取り組んでいます。

各社の創業者の中にはすでに退任した者、亡くなった者などもいることからもわかるように、GAFAMも創業から20～50年近くも経過しています。その間、ずっと業界トップ

■ **表8-1　GAFAMの概要**

	創業年	創業者	現CEO
グーグル	1998年	ラリー・ペイジ セルゲイ・ブリン	サンダー・ピチャイ
アップル	1980年	スティーブ・ジョブズ スティーブ・ウォズニアック ロナルド・ウェイン	ティム・クック
メタ・プラットフォームズ	2004年	マーク・ザッカーバーグ エドゥアルド・サベリン	マーク・ザッカーバーグ
アマゾン	1994年	ジェフ・ベゾス	アンディ・ジャシー
マイクロソフト	1975年	ビル・ゲイツ ポール・アレン	サティア・ナデラ
テスラ	2003年	マーティン・エバーハード マーク・ターペニング	イーロン・マスク

を走り続けてきたわけでもありません。

ＧＡＦＡＭはテック企業であるため、新しい技術や製品、サービスなどの登場によっては、トップの座から転落する可能性もあります。

実際、アップルのジョブズは、80年に創業したものの85年には業績不振からすべての業務を解任され、アップルを追い出されてしまいます。そのジョブズは96年、業績不振から請われてアップルに復帰し、２０００年には再びＣＥＯに返り咲き、以後アイポッド、アイフォーン、アイパッドと続けざまにヒット製品を出してアップルを見事に再生させています。

ビッグ・テックとはいっても、決して安泰ではいられないのです。そのビッグ・テです。22年11月に登場しました。チャットGPT（ChatGPT）です。

繰り返しになりますが、チャットGPTというのは、「人工知能チャットボット」と呼ばれ、「生成可能な事前学習済み変換器」と訳されるものです。原語では「Generative Pre-trained Transformer」となっています。

22年11月にサービスを開始すると、わずか1週間でアクティブユーザー数が100万人を超え、2カ月で月間アクティブユーザー数1億人を突破するという、すさまじいまでのブームを巻き起こしています。

23年1月には、マイクロソフトが同社の検索サービスのビングに、このチャットGPTを融合させ、「新しいビング」のサービスをスタートすると、グーグルも23年3月末、会話形AIサービス「バード」をアメリカ、イギリスで公開しました。さらに4月には、アマゾンも生成AIの「ベッドロック（Bedrock）」を発表しています。

メタ・プラットフォームズは、マーク・ザッカーバーグCEOが23年2月28日付けの投稿で、「私たちはメタで、私たちの仕事をターボチャージするために、生成人工知能に焦点を当てた新しいトップレベルの製品グループを作成しています。私たちは企業全体で生成人工知能に取り組む多くのチームを、弊社のすべての製品にこのテクノロジーをめぐる

■表8-2　生成AIの比較

項目	マイクロソフト	グーグル	アマゾン
生成AI	Bing	Bard	Bedrockおよび他社サービス
対象	個人および法人	個人および法人	当面法人のみ
特徴	オフィス製品との連携	検索との連携	「生成AI中立国」
優位性	◎	○	△
収益基盤	クラウドや製品	広告	クラウドや小売EC

楽しい経験を積むことに焦点を当てたグループにまとめることから始めます」と宣言しています。

さらに、メタの具体的な新しい取り組みとして、「短期的には、クリエイティブで表現力のあるツールを構築することに焦点を当てます。長期にわたって、さまざまな方法で人々を助けることができるAIペルソナの育成に焦点を当てます」と発表しています。

アマゾンやマイクロソフトでは、クラウドサービスでAIに対するユーザーへの支援を公表しています。特にアマゾンでは、23年4月にベッドロックを発表し、生成AIの分野でマイクロソフト、グーグル、アマゾンの3社が出そろいました。

テスラからはまだ具体的な発表はありませんが、GMがチャットGPTのような機能を運転者向けに開発しているというニュースが報じられており、テスラもGMに対抗するような何らかのAIを利用した機能を考えているのではないでしょうか。

ビッグ・テック以外からも、たとえば画像編集や動画編集などのグラフィック処理に関するソフトウェアを販売するアドビ（Adobe Inc.）が、画像生成ＡＩを利用した新しいサービス「ファイヤーフライ（Firefly）」の提供を開始しています。

23年のテック業界の最大の話題は、このチャットＧＰＴに代表される生成ＡＩになることは間違いないでしょう。生成ＡＩを自社サービスに取り込んだり、何らかの接点を持ったりしなければ、ビッグ・テックも他の企業に取って代わられる可能性があるのです。

生成ＡＩはなぜテックを変える可能性を持つのか？

チャットＧＰＴのサービスを公開したのは、米サンフランシスコにあるオープンＡＩ（OpenAI）という企業です。

このオープンＡＩという企業は、先述のようにオープンＡＩＬＰ（OpenAI LP）という営利法人と、その親会社である非営利法人のオープンＡＩ（OpenAI Inc.）の2つからなる会社ですが、もともと起業家で投資家のサム・アルトマンと、テスラのＣＥＯであるイーロン・マスクらによって２０１５年に設立されています。その後18年にイーロン・マスクはオープンＡＩを離れ、代わって翌19年にマイクロソフトが10億ドルの出資を行っています。さらに23年1月には、やはりマイクロソフトが１００億ドルの出資を行い、これによってマイクロソフトはオープンＡＩの49％の株式を取得しています。

マイクロソフトが検索にいち早くチャットＧＰＴを盛り込み、「新しいビング」としてサービスを提供できたのは、そのためだと考えてもいいでしょう。

オープンＡＩのチャットＧＰＴは、ＧＰＴ３ファミリーという言語モデルをもとに構築されたものです。ＧＰＴというのは、膨大な量のテキストデータを学習させ、人間のような文章を作り出すよう訓練されたもので、チャットＧＰＴにはＧＰＴ３・５というバージョンが使われています。

なお、有料版のチャットＧＰＴでは、ＧＰＴ４というバージョンが使われており、テキスト予測により３・５よりさらに進化しています。マイクロソフトの「新しいビング」で利用されているのも、このＧＰＴ４を検索用にカスタマイズしたものです。

チャットＧＰＴはチャットボット、あるいはテキスト生成ＡＩなどとも呼ばれており、文章で質問すると文章で答えてくれる人工知能です。生成ＡＩの中には、文章で指定すると命令に沿って画像を作成してくれる画像生成ＡＩや、やはり文章で指定すると音楽を作成してくれる音声生成ＡＩなどもあります。

「新しいビング」の例を見てもわかるように、テキスト生成ＡＩは検索に利用できます。わからない言葉や名前、事象などを質問すれば、適する答えを文章で返してくれるのです。でも、それだけではありません。たとえば、新製品のプレゼンの構成を考えさせたり、取引先に送る発表会のメールの内容を書かせたり、新製品の広告のアイデアを出させたりと、これまでの事務仕事を効率化できる方法がたくさんあります。

あるいは、最近ではオンラインでサービスや製品のサポートをチャット形式で行うケースが増えていますが、チャットＧＰＴを組み込めばサポート要員は不要になります。調べ物から顧客へのサポートまで、さまざまな場面でテキスト生成ＡＩを活用できるのです。

このチャットＧＰＴ、あるいはテキスト生成ＡＩによって、企業では効率的な働き方を進められるようになり、さらにこれらの業務に携わっていた社員を整理することも可能でしょう。つまり、**テキスト生成ＡＩによって大幅な経費削減さえ可能になってくる**のです。ＡＩによって失業する人さえ出てくるでしょう。

そんな可能性を秘めたＡＩだけに、テック企業はどのようなサービスを提供できるか、虎視《こし》眈々《たんたん》と狙っているのです。画期的なサービスを提供した企業が、次のビッグ・テックの座に躍り出て、これまでのビッグ・テックが凋落するという可能性も、十分に考えられるのです。

生成ＡＩは知見を民主化する

テキスト生成ＡＩが画期的なのは、膨大な量のテキストをもとに、自然な文章を作り出すことが可能になったことですが、これはインターネット上のウェブページや検索エンジンなど既存のコンテンツから無数のデータを収集し、それをもとにしています。

インターネットは情報を受け取るだけでなく、誰もが情報を送り出すことが可能で、情報の民主化を促進させました。それらの情報をもとに出てきたテキスト生成ＡＩは、知見の民主化を促進します。誰でも疑問や質問をチャットＧＰＴやビングに投げかければ、膨大な量のデータから導き出された答えを得られるのです。まさに知見の民主化です。

ただし、テキスト生成ＡＩがもとにしているデータは、過去のデータです。たとえば、ＧＰＴ３・５をベースとする無料版のチャットＧＰＴに、つい最近の事件や出来事を尋ねても、正しい答えを返してはくれません。ＧＰＴ３・５は２０２１年までのデータで学習させているため、それ以降についてのデータは学習していないのです。

確かに人工知能、テキスト生成ＡＩは画期的で素晴らしい技術ですが、だからといって万能ではないのです。人工知能の出現で、仕事がなくなるといった意見がありますが、そ

■表8-3　AIが得意なこと、人間が得意なこと

AIが得意なこと	人間が得意なこと
過去	未来
正解があるもの	正解がないもの
前例があるもの	前例がないもの
優劣が明確	優劣があいまい
答えが重要	問題が重要
見えるもの	見えないもの
論理	直観や感性
変数が固定化	変数は無限・不変

んなことはありません。かつて工場の機械化で、それまでの作業員の仕事がなくなった、といったケースは何度もありました。しかし、だからといって大量の作業員が街にあふれたままなどということはなく、必ず新しい技術に対応した次の新しい仕事が生み出されてきました。

まったく同じように、テキスト生成ＡＩや人工知能によって、一時的に仕事がなくなるケースもあるでしょう。しかし、これらのＡＩによって新しく生まれてくる仕事もあります。ＡＩは過去や正解があるもの、前例があるものといった問題に対して答えを出すのが得意です。逆に未来のこと、正解がないもの、前例がないもの、直感や感性といったものが不得意で、こちらは人間のほうが得意な分野です。

ＡＩが得意な分野はＡＩに任せ、人間はＡＩが

不得意とする分野で、ＡＩを使いこなしながら問題を解決し、未来を作っていくことができます。

23年2月に開催された世界政府サミットの基調対談で、オープンＡＩの創業者のひとりであるイーロン・マスクは、「生成ＡＩの時代、人がやるべきことはクリティカルシンキングである」と述べています。

クリティカルシンキングとは、論理的思考、特に自らが問題を発見し、論点を立てていくことを指しています。ＡＩが不得意な未来のこと、正解がないことを考え、実行していくことこそ、人間に残された仕事なのです。

オープンＡＩのホームページには、アルトマンＣＥＯが実現したい使命が掲載されています。彼はインタビューなどでも常に語っていますが、「人間の意思と価値観とＡＩのシステムを合致させること＝調和」ということに強いこだわりを持っているようです。さらに、「世界と人類をより良くしていきたい」という強い使命感や価値観で事業展開しています。

ＡＩは使いこなすものなのです。そんなＡＩが、生成ＡＩとして現実のものになってきています。**そんなＡＩ時代だからこそ、人間は何をすればいいのかが問われていくのです。**

Z世代とSNSの興亡

メタのマーク・ザッカーバーグCEOは、メタ・プラットフォームズで生成AIに焦点を当てた新しい製品を作成していると語っていますが、フェイスブックというSNSからスタートしたメタは、今大きな岐路に立たされています。フェイスブックからメタ・プラットフォームズへと社名を変更したように、SNSからメタバースへと転換しようとしているのです。

04年にスタートしたフェイスブックは、当時流行していたマイスペース（Myspace、03年）やフレンドスター（Friendster、02年）、べボ（Bebo、05年）といったサービスに代わって、10年頃には世界トップクラスのSNSに君臨しています。

その後、ツイッター（Twitter、06年）やインスタグラム（Instagram、10年）、グーグルプラス（Google+、11年）、ユーチューブ（YouTube、05年）、タンブラー（Tumblr、07年）などさまざまなSNSが出現していますが、ユーザー数ではいまだにフェイスブックが世界トップです。

23年2月現在、フェイスブックのユーザー数は29億5800万人にのぼります。さらにメタは12年にはインスタグラムを、14年にはメッセージングサービスのワッツアップ（WhatsApp）を買収しており、両者のユーザー数をあわせれば、69億5800万人ものユーザーを抱えていることになります。

もちろん、登録だけして実際にはほとんど利用していないユーザーや、複数のサービスに登録して楽しんでいるユーザーも少なくありませんから、実際に楽しんでいるユーザー数とは異なりますが、それにしても大きな数字です。

しかし、メタは現状に大きな危機感を抱いています。メタはフェイスブックによる広告収入に大きく依存する企業ですが、その広告収入が大きく落ち込んでいるからです。SNS人気、それもフェイスブックのような他のユーザーとつながり、テキストや写真などを交換して楽しむSNSに、陰りが見えてきているのです。

代わって現在人気を誇っているのが、中国のバイトダンス（ByteDance）が提供しているティックトック（TikTok）です。

ティックトックは動画に特化したSNSですが、ユーザーが投稿する動画の多くは10〜30秒程度のごく短い動画です。ユーザー同士の結びつきが希薄で、表示されていく動画を次々と再生し、面白いものに「いいね！」を付け、時にはコメントするといった、ゆるい結びつきが特徴のSNSです。

しかし、そのゆるいＳＮＳから一躍世界的に有名になったユーザーや、爆発的に売れた商品、サービスなどがいくつも出ています。なぜ、ティックトックのようなＳＮＳが人気になるのかを考えたとき、**Ｚ世代のＳＮＳ疲れ**に行き当たります。

ティックトックのユーザーの中心は、いわゆるＺ世代と呼ばれる若者です。Ｚ世代というのは、90年代中盤から10年代前後までに生まれた世代で、デジタルネイティブとも呼ばれている世代です。

この世代のこれまでのタイムラインを見ると、小学生の頃から社会に出るまでに、実にさまざまなＳＮＳが出現しています（図８-１）。ＳＮＳに参加すると新たな交流関係を築き、別のＳＮＳが流行するとまた最初から交流関係を築きます。ＳＮＳ内でのユーザー同士のコミュニケーションに気疲れし、やがて利用頻度が下がっていきます。

それでも何らかのＳＮＳに参加していないと落ち着かない、というのもこの世代の特徴でしょう。時代や友人から自分だけが取り残されることを嫌い、ゆるくても常に誰かとつながっていたい、といった状況を求めます。

また、若い世代は親や大人が利用するＳＮＳを嫌い、若者だけが楽しめるＳＮＳを好む傾向も強くあります。

さらに、フェイスブックのような長めのテキストを読むよりも、ほんの数秒の動画を視

■図8-1　Z世代のタイムライン（1998年生まれ・24歳での事例）

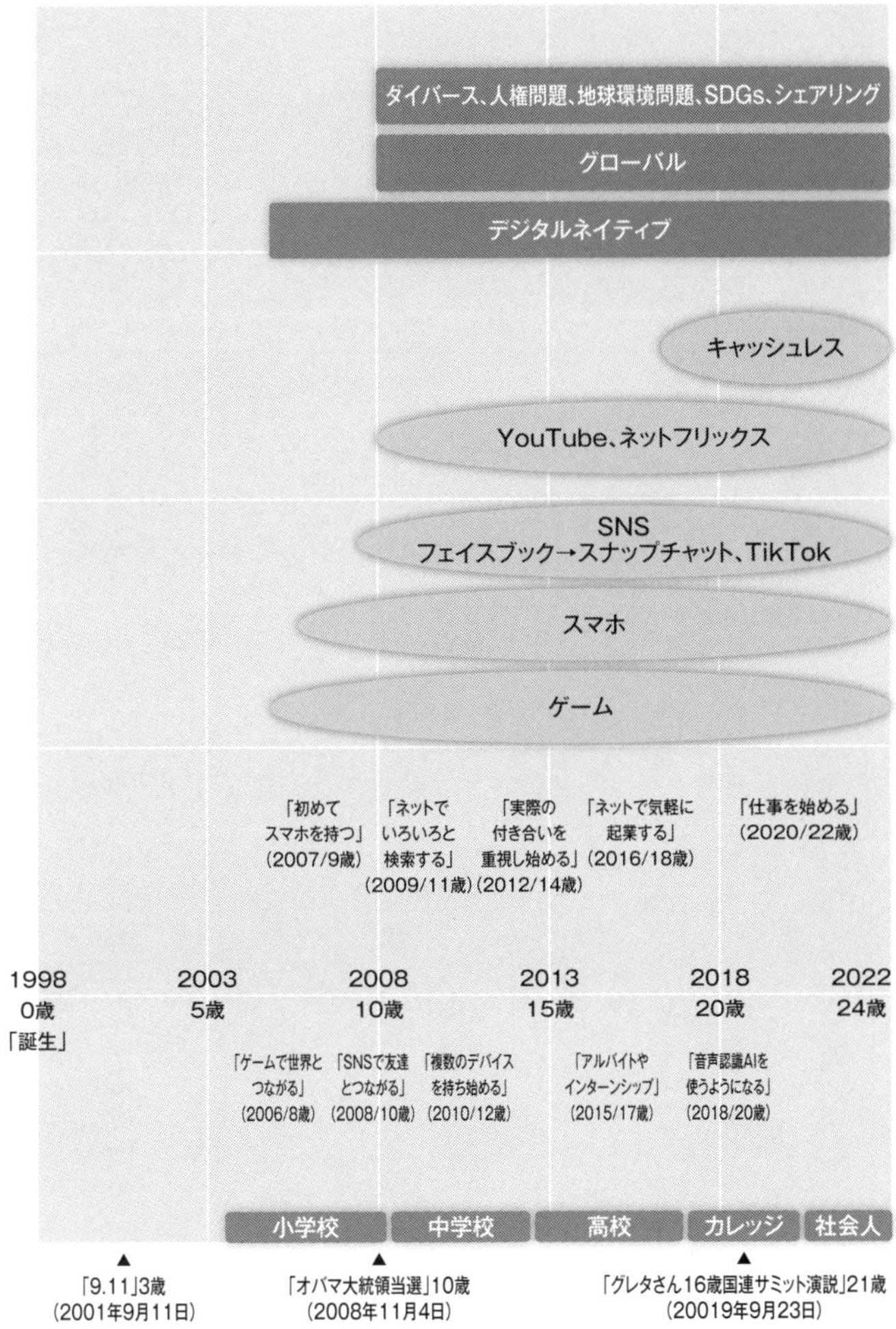

※各年におけるテクノロジーの使用パターンについては『The Generation Z Guide』、Ryan Jenkins著を参考に作成

聴するほうが楽でタイパ（タイムパフォーマンス、時間的効率）もいいと考えるのでしょう。

少子化が進んでいる日本では見過ごされがちですが、**世界ではこのZ世代が人口の3分の1を占めるボリュームゾーンになってきています**。『ブルームバーグ』が国連の統計を分析したところ、19年には世界の全人口77億人のうち、32％がZ世代でした。Z世代の1つ前はミレニアル世代ですが、この世代の人口比率は31・5％です。

22年末現在では、世界の77億人のうち約24億人（31％）がZ世代です。日本では1億2千万人の人口のうち、Z世代は約1800万人で、全体の15％しかいません。日本の構成比で考えると、世界の趨勢を見誤る危険があります。

これらの理由から、フェイスブックの静かな凋落が始まり、代わってティックトックの興隆が見られる、と分析できます。メタがフェイスブックからメタバースへと移行しようとしているのは、**メタバースという新たな空間で、Z世代をも取り込んだ新しいSNSを作り出そうと考えている**のでしょう。この戦略の成否によっては、メタがビッグ・テックからすべり落ちることは十分に考えられます。

ティックトックの本質と影響力

フェイスブックに代わって台頭してきたティックトックは、中国のバイトダンスという企業が16年9月に始めたサービスです。短い動画を投稿し、それを視聴して楽しむことから、ショート・ビデオ共有サイトとも呼ばれ、SNSに分類されるサービスです。

もともと中国企業発のサービスだったため、当初の利用者は中国国内に限られていましたが、翌17年には中国本土以外のほとんどの地域で利用できるようになりました。ユーザー数ではまだフェイスブックにはかないませんが、アジアではトップクラスのユーザー数を誇るサービスに成長しています。

ティックトックの魅力を、『ワシントン・ポスト』は18年11月の段階で「ティックトックにはSNSの良いところすべてが詰まっている。BGM選びや編集も簡単で、自分でネタを考えなくても動画チャレンジが豊富で、気軽に投稿できる」と分析していました。

投稿されているのは、ほんの10秒に満たない程度のビデオですから、コンテンツ作成や投稿のハードルが非常に低いのも、ティックトックの大きな特徴です。短い時間で簡単に作れて、しかもフォロワーが少なくてもコンテンツが拡散されやすいため、Z世代には最適なSNSといえるでしょう。

Z世代がSNSを利用する理由のひとつに、**高い承認欲求**があります。承認欲求とは、誰かから認められたい、より多くの人に認めてもらいたいといった欲求のことですが、ティックトックに投稿した短いビデオに、「いいね！」が付いたり拡散されたりすれば、この承認欲求も満たされます。

ティックトックはスマホでのみ利用できるサービスですが、スマホ世代であるZ世代の中でも、アプリのダウンロード数が多いという特徴があります。

アプリ市場に関する市場データと分析ツールを提供している米データ・エーアイ（data.ai）によれば、23年第1四半期のiOS（アップルのアイフォーンやアイパッド用OS）の非ゲームアプリのうち、ティックトックが世界で最もダウンロード数が多いアプリだったそうです。次いで多かったのがインスタグラムでした。

23年になってグローバルのアプリ市場は回復しつつあり、この時期のダウンロード数は384億ダウンロードで、22年第3四半期に次ぐ過去2番目に多いダウンロード数を記録しています。

アプリのダウンロード数が多いということは、それだけ利用者数も増えているわけですが、ビジネス面から見てもティックトックには大きな特長があります。ティックトックはスマホのアプリで利用しますが、作成のハードルが低いためにより多くのコンテンツが集まることや、それらのコンテンツが拡散されやすいといった特長のため、**企業が広告を掲載しやすい**のです。

特にティックトックの広告は、全画面動画広告でより自然でオーセンティックなものに収斂《しゅうれん》します。グローバルで単一市場のため、ティックトックに広告を掲載するだけで世界中に配信されます。ユーザーからも、さらに広告を掲載したい企業からも、ティックトックはこれまでのSNSよりもずっと手軽で効果的なのです。

もちろん、問題がないわけではありません。**バイトダンスという中国企業が運営しているため、ユーザーのデータが中国に流出しているのではないか**、といった疑惑があり、ティックトックを禁止する国も出てきています。

23年4月には、米モンタナ州でティックトックを禁止する法案が可決されています。アメリカでは20年7月に、トランプ前大統領が中国政府への個人情報流出を防ぐため、米国内でティックトックを禁止すると発表しました。この大統領令は翌21年、国家安全保障上のリスクをもたらすかどうかの証拠がない、という理由でバイデン大統領が取り消しています。

ところが22年12月に、メリーランド州のラリー・ホーガン前知事が中国とロシアの特定企業の製品とプラットフォームを州政府機関で使用することを禁じる緊急命令を発表しました。これによってティックトックの使用が禁止され、さらにテキサス州、ネブラスカ州、サウスカロライナ州などいくつかの州でもティックトック使用禁止例が出されています。

このアメリカの動きに呼応するかのように、23年3月にはイギリス政府が政府端末でのティックトックの使用を禁止。カナダ、EUなども政府端末でのティックトック禁止に動いています。

ティックトックの機能や利用が問題なのではなく、ユーザー数が急増するSNSを中国企業が運営している、という点が問題になってきているのです。政治と経済が密接に結びつく現代では、SNSにも米中の覇権争いが色濃く出てきています。

ウォルマートのDX企業としての進化

ビッグ・テックの牙城を崩す企業は、何もスタートアップ企業やテック企業から出てくるとは限りません。たとえば、流通大手のウォルマート（Walmart Inc.）もそのひとつです。

ウォルマートは米デラウェア州に本部を置く世界最大のスーパーマーケットチェーンで

す。1945年に雑貨店として誕生したウォルマートは、70年代にニューヨーク証券取引所に上場するや急激に成長し、90年には全米最大の小売店になっています。2000年代には世界進出も果たし、日本では05年には西友を子会社化し、18年には楽天と提携関係を結んでいます。

この世界最大のスーパーマーケットチェーンは、その売上高も群を抜いています。23年1月31日の決算日となる22年の売上は約6千億ドル、日本円に換算すれば約80兆円にもなります（図8-2）。日本最大の流通企業グループであるイオングループの売上高が約8兆円ですから、ウォルマートはイオンの10倍もの売上を誇っていることになります。

アマゾンの売上でさえ68兆円ですから、売上だけでいえばウォルマートはアマゾンを上回っていることになります。というよりも、このウォルマートの売上は、世界中の企業の中でナンバーワンの額なのです。

もちろん、売上だけでビッグ・テックを脅かしているわけではありません。実はほんの5、6年前までは、ウォルマートは時代遅れの企業だとみなされていました。EC部門の売上がアマゾンに大きく水を空けられていたからです。

ところが14年にダグ・マクミランがCEOに着任するや、デジタルシフトの方針を打ち出し、ネット通販のスタートアップ「ジェット・ドット・コム（Jet.com）」を買収。ジェ

■図8-2　ウォルマートの売上高の推移

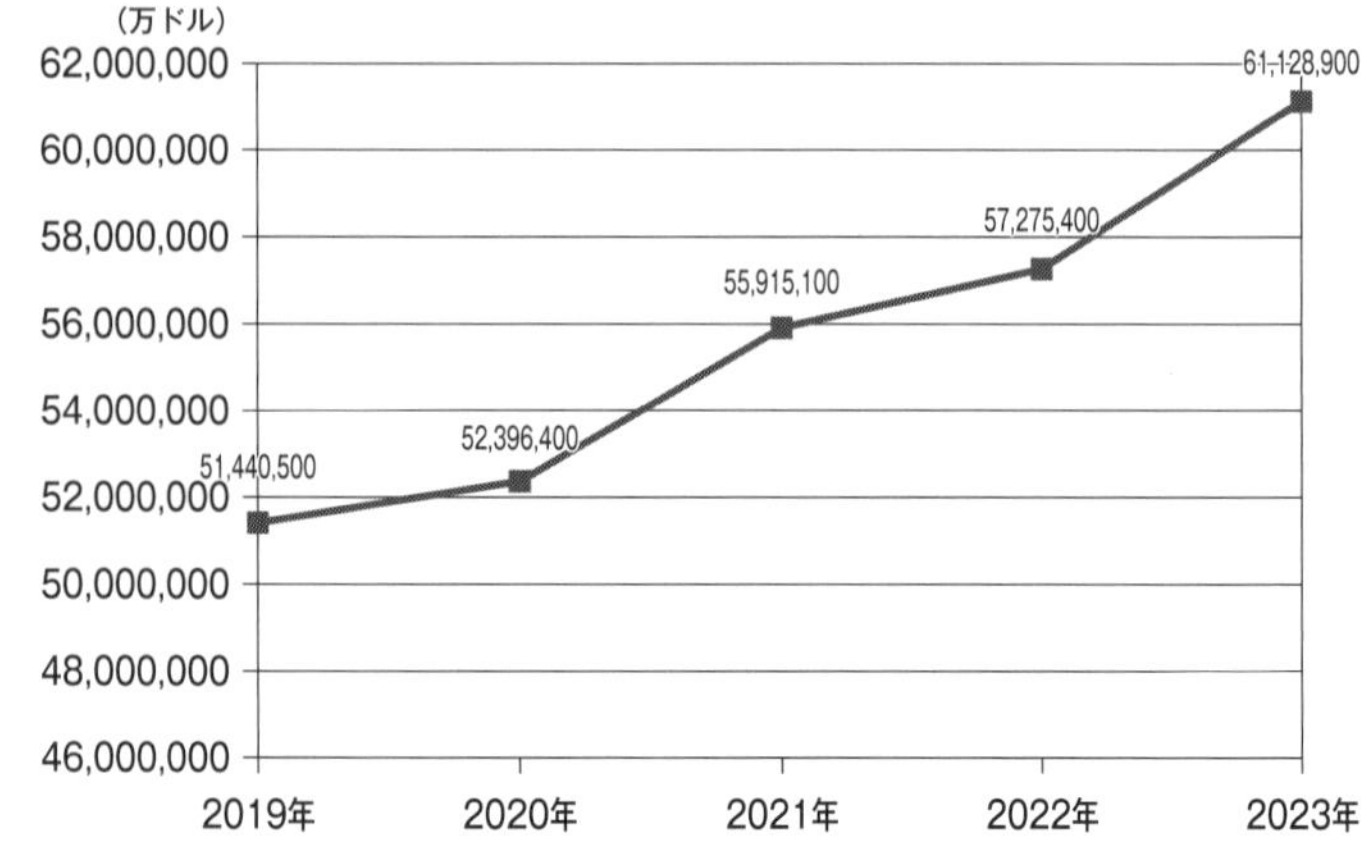

※会計年度は２月～１月

ット・ドット・コムの共同創業者であったマーク・ロアをウォルマートのＥＣ部門の総責任者に据えたのです。

　するとウォルマートのＥＣ事業は、19年1月期で前年比40％増となる売上高を上げます。カギとなったのは、**ＤＸの推進**でした。ＤＸというのはデジタルトランスフォーメーション（Digital transformation）のことですが、ＩＣＴやＡＩ、ＩｏＴ、ビッグデータといったデジタル技術を用い、業務フローの改善や新たなビジネスモデルを創出し、レガシーシステムから脱皮してさらに企業風土の変革までも実現させることです。

　多くの企業がＤＸに取り組みながら、企業風土の変革にまで至っていないのは、デジタルツールを単なる効率化のためのツールとしてしか活用できていないからでしょう。ウォルマートでは、たとえばコロナ禍における従業員の安全と健康を最優先し、サプライチェーンを継続させ、サプライヤーと取引先など社外への支援や新たな雇用を創出しています。

さらにコロナ禍で急増したEC需要に対応し、非接触型サービスを充実させるために「ウォルマートプラス（Walmart＋）」という有料会員制プログラムをスタートしています。また、気候変動問題への対応としては、17年から「プロジェクト・ギガトン（Project Gigaton）」をスタートさせ、30年までにサプライチェーンで発生する二酸化炭素を累計で1ギガトン（10億トン）削減する方針で、現在も進行中です。

ウォルマートは小売業であることから、「実店舗で売る」ことで業績を伸ばしてきましたが、コロナ禍以後はこれに固執せず、オンラインを含めたオムニチャネル化を進め、サブスクリプションサービスをはじめ、配送まで手掛けるようになりました。DXによって、企業文化の変革まで達成しているのです。

ウォルマートはもはや、旧態依然とした流通業者ではありません。DXによって「デジタルで顧客とつながる」ことで、「**CX（カスタマーエクスペリエンス）のウォルマート**」へと脱皮したのです。

“サイズを測る”から“試着する”まで“バーチャル・トライオン”テックが拡大

コロナ禍で特に大きな影響を受けたのは、顧客が来店するような飲食店や流通業でした。外出の制限により顧客が来店しないのですから、商品も売れません。

逆に、オンラインを駆使したアマゾンのような流通業者は、外出制限によって注文が増え、業績が上向くというコロナ特需になりました。日本でも、ウーバーイーツ（Uber Eats）などのフードデリバリーが流行したのは記憶に新しいところです。

そんな状況の中に出てきたのが、**バーチャル・トライオン**です。バーチャル・トライオンというのは、ＡＲ（拡張現実）を活用したバーチャル試着テクノロジーのことです。顔や全身を検知し、特徴点をトラッキングして、商品に合わせてバーチャル試着が可能になる技術です。

もともとこの技術は何年も前から存在していましたが、コロナ禍によって注目され、小売店で確固たる地位を築きつつあります。たとえば化粧品なら、お客さんの顔を検知してこの上に商品を使った化粧を施した顔を描き出します。現実を拡張したもので、実際に化粧をしなくても、商品を使って化粧をしたときのイメージがそのまま映し出されるわけです。

拡張現実ですから、別の商品を使ってみたいときは、化粧を落とす必要もなく、即座に別の商品を使った画像を表示してくれます。お客さんにとっては安全に試着でき、パーソナライズされた商品が選択できます。

すでにザ・リッパー（The Lip Bar）やフェンティビューティー（Fenty Beauty）といった化粧品ブランドでは、バーチャル・トライオンの技術を複数の製品カテゴリーで活用し、売上に結びつけています。

服やシューズといったものも、もちろんバーチャル・トライオンでバーチャル試着が可能です。カメラの前に立つだけで、商品選びに必要なサイズの計測から、実際に身に着けたときの〝試着〟まで、3Dレンダリングによって実際にそれらの商品を身に着けたようなバーチャル試着が実現します。

このバーチャル・トライオンをオンラインで提供すれば、ユーザーはわざわざ店舗に出向く必要がなく、しかも実際に試着した感じがわかり、そのままオンラインショップにお客さんを誘導できます。

さらにお客さんが実際にショップを訪れたときも、ショップに在庫がなくてもバーチャル・トライオンを利用すれば試着が可能ですから、やはり商品の購入に結びつけることが可能です。

服やシューズ、化粧品など、ファッションアイテムはすでにインターネットで購入することが当たり前になりつつあります。これまでのネットショッピングでは試着ができなかったため、ユーザーに不満が残りました。しかし、バーチャル・トライオンというAR技術を利用することで、これらの不満が解消され、お客さんにもショップにもメリットをもたらします。

コロナ禍によって、バーチャル・トライオンのような拡張現実を利用した技術が定着しようとしています。この技術は、今後もさまざまな分野で定着・発展していくと予測されます。

中国のTCLに注目

CES 2023で、メタバースやその他すべての分野で最も驚いた企業は、中国の**TCL**でした。

TCLは、正式には「TCL科技集団」という名称の電気機器メーカーで、中国の広東省に本社があります。すでに世界一のテレビメーカーとして知られていますが、テレビを代表とする家電機器から照明、パソコン、スマホ、タブレット、スマートウォッチ、電子媒体など、幅広い製品を製造・販売しています。ＣＥＳのブースでも、実に多様な製品が展開されていました。

これらのＴＣＬの製品が、主要製品カテゴリーでベストプライズを獲得していたのです。特にＴＣＬのスマートグラスは、今回出展していたブースの中で最も機能性に優れていると感じた製品でした。

メタバースでは、スマートグラスあるいはスマートゴーグルといったものが、主要ツールとなっています。私はメタ社のオキュラスを使っているため、現在主流となっているスマートグラスの機能や使い勝手については把握しているつもりですが、それでもＴＣＬのスマートグラスの機能性には驚かされました。

このＴＣＬのブースのすぐ近くには、パナソニックも出展していたのですが、こちらはＢ２Ｂ（Business-to-Business）、つまり企業間の取引に軸足を移そうとしています。ところがＴＣＬはＢ２Ｃ（Business-to-Customer）、つまり一般消費者との取引を中心としており、Ｂ２Ｃのエコシステムを大々的に展開することで、より消費者のニーズに合った製品展開を行っています。

パナソニックのようなB2Bでも、家電製品は最終的にはC、つまり実際に利用する消費者に届けられます。B2BでもB2Cについての理解が欠かせないのです。さすがに世界一のテレビメーカーであるだけに、TCLは消費者のニーズを的確につかんでいるのでしょう。

現在、GAFAMというビッグ・テックに最も肉薄し追い越そうとしているのが、このTCLに代表される中国テック企業です。

中国テック企業の中心は、BATとくくられています。「百度（バイドゥ）」「阿里巴巴集団（アリババ）」「騰訊（テンセント）」の頭文字をとったものです。さらにこのBATに迫ってきているのが「TMMD」です。

こちらはトウティアオ、メイチュアン、シャオミー、ディディの企業の頭文字をとったものです。しかもその後ろには、TCLのような企業も控えています。今回のCESのTCLを見た感じでは、中国テック企業が秘めている力をひしひしと感じます。

近い将来、もしビッグ・テックのGAFAMが撃ち落とされるとすれば、その先兵は中国テック企業に他ならないのではないでしょうか。

中国アリババ、7～9月期売上高が予想を下回る

中国テック企業の先頭を走るのがBATであり、2番手がTMMDですが、その並びに異変が起こっています。政府の規制です。

BATHとしてくくられている中国テック企業を簡単に紹介すれば、次の4社になります。

・B＝百度（バイドゥ）：中国最大の検索エンジンを提供する企業。中国版グーグルともいえる企業。グーグル同様、検索からバイドゥ地図、バイドゥ翻訳などのサービスも提供しており、アイチーイー（iQIYI）という動画ストリーミングサービスも行っている。22年の売上高は1245億元、日本円に換算すれば4兆4230億円。

・A＝阿里巴巴集団（アリババ）：99年創立のオンライン・ショッピング企業。GAFAMでいえばアマゾンと比較される。モバイル決済の「アリペイ（Alipay）」を運営している企業であり、物流事業からリアル店舗、クラウド、金融事業などまで手を広げてい

る。3月31日の決算日に発表された22年の売上は、約16兆円になる。

・T＝騰訊（テンセント）：ソーシャル・ネットワーキング・サービス、インスタントメッセンジャー、ウェブホスティングサービスなどを提供する企業で、「中国のフェイスブック」とも呼ばれる。ＳＮＳを起点にしながら、ゲームなどのデジタルコンテンツ、決済などの金融サービス、ＡＩによる自動運転や医療サービス、それにクラウドサービスなども提供している。22年の売上高は約10兆５２００億円になる。

・H＝華為技術（ファーウェイ）：中国の通信機器大手メーカー。スマホの出荷台数で世界2位の企業であり、アップルと比較されがちだが、実際には移動通信設備の大手で、出荷台数はスウェーデンのエリクソンを抜き世界ナンバーワン。アマゾンに対抗するクラウド事業にも注力しており、ＧＡＦＡＭに迫る次の1社になってきている。22年の売上高は約12兆４１６０億円になる。

これらの企業が、中国のテック業界のトップを走っています。ただし、中国企業には中国政府という未確定な不安要素が常に存在します。

たとえば、21年に中国政府はテック企業に対する規制を導入しています。セキュリティやイデオロギーに対する懸念を考えてのことでしょう。アリババグループの決済サービスである「アリペイ」は、無担保ローンを大量に貸し出しているとして、中国政府から厳しい目を向けられており、事業の再構築さえ迫られています。

あるいはテンセントやバイドゥが開発しているゲームは、日本や韓国のゲームなどに類似しており、中国政府から国家のイデオロギーと歩調を合わせるよう忠告を受けています。

さらにBATHを不安にさせているのが、中国政府による新型コロナウイルス対策の規制や経済見通しの悪化です。アリババでは22年の第3四半期の売上高が約289億ドルでしたが、これは前年同期比の3％増でした。

ところがその内実を見ると、顧客管理収入（CMR）が7％減っており、過去最大の落ち込みとなっているのです。

顧客管理収入というのは、出店者がアリババのサイト上で広告などに費やした金額を指しています。アリババでは通常、CMRが売上高全体の3％を占めています。これが7％も落ちているのは大きな不安材料です。

ウイルス対策などによって個人消費が低迷したためと考えられ、情勢が安定すればCMRも回復すると予測されますが、**GAFAMを追いかける中国のBATHなどのテック企**

業には、他の国には見られない特殊な事情も考慮すべきでしょう。

脱検索・広告一極集中、バイドゥ躍進の理由

「中国のグーグル」とも呼ばれ、インターネット検索サービスを提供しているのがバイドゥです。中国では政府が接続を規制（事実上の禁止）しているため、グーグルが使えません。代わってインターネットを検索するのに用いられているのがバイドゥです。検索サービスだけでなく、地図や翻訳といったサービスも提供しており、中国では一人勝ち、世界でもグーグルに次ぐ第2位の検索エンジンとなっています。

検索サービスという性質上、バイドゥの売上もグーグルと同じく広告に高く依存しています。これがコロナ禍による広告の低迷、さらにモバイル決済など金融サービスへの対応の遅れ、不正広告事件、経営幹部の頻繁な入退社などネガティブなニュースが続き、それが業績や評価につながったためか、バイドゥの時価総額はアリババやテンセントの後塵を拝しています。

そこでこの状態から脱するべく、起死回生を期して乗り出したのが、**自動運転を含めたAI事業**です。

■図8-3　中国における検索エンジンのシェア（%）

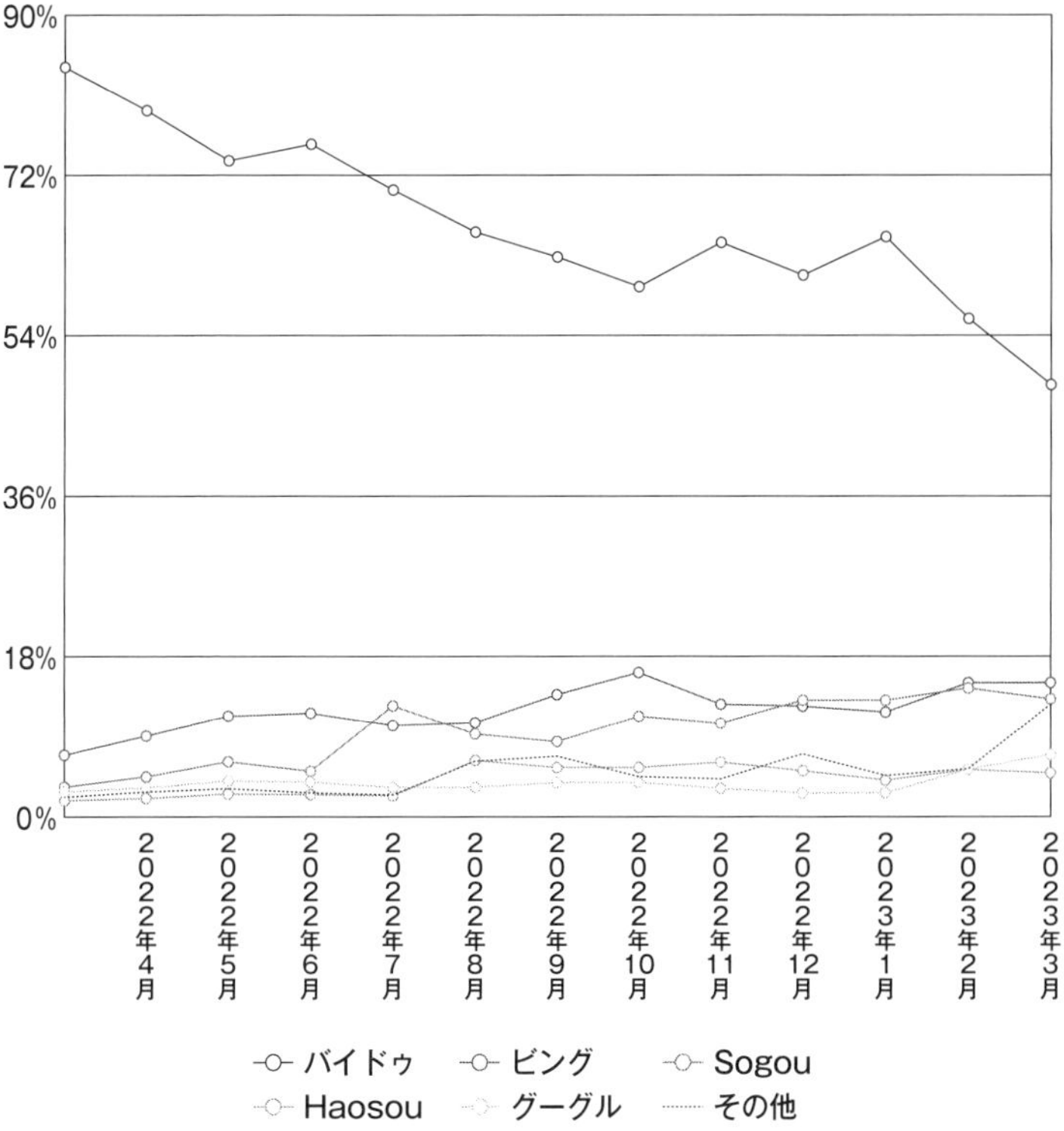

出典：statcounter

もともとバイドゥは、検索サービスの利便性を向上させ、多層な学習モデルと大量の機械学習によってデータの分析や予測を行う「百度大脳」を14年に発表しています。さらに16年には、深層学習プラットフォーム「パドルパドル（Paddle Paddle）」をオープンソース化して、世界レベルでのＡＩエンジンの取り込みも図っています。

これらの集大成として、翌17年には音声ＡＩアシスタント「デュアーＯＳ（DuerOS）」を発表。アマゾンのアレクサのように、話しかけるだけでＡＩにアシスタントしてもらえるものですが、この技術を応用して出来上がったのが、自動運転プラットフォームの「アポロ（Apollo）」です。

バイドゥから発売されているディスプレイ付きのスマートスピーカー「シャオドゥ（Xiaodu）」は、20年第1四半期に世界のスマートスピーカーの出荷台数で世界ナンバー3になっています。このような土壌の上から生まれてきたのが、自動運転の「アポロ」なのです。

検索による広告一極集中から、バイドゥは**ＡＩ企業に進化しつつあるところ**です。実際、中国が「次世代人工知能の開放・革新プラットフォーム」と題したプロジェクトで、ＡＩ事業を進める4事業者のうち、自動運転事業を委託されたのがバイドゥでした。

中国はこのプロジェクトのもと、「２０３０年には人工知能の分野で中国が世界の最先端になる」と宣言しています。

中国国家の規制によって売上が落ち、逆に政府の後押しによって世界のトップに躍り出る——中国テック企業には他の国に見られない不安要素がいくつもあります。しかし、それを含めても、GAFAMの次に君臨してくるテック企業は、中国から出てくると予想できるのです。その意味でも、今BATHやTMMDに注視すべきなのです。

第9章

GAFAMは
どこに向かうのか？

GAFAM
+
Tesla

ＳＮＳの変曲点とＺ世代の時代

フェイスブックがメタバースに方向転換しようとしているように、ここ数年でＳＮＳに陰りが見えてきました。

この陰りは、２０２２年2月にメタ・プラットフォームズの決算報告が発表された直後からでした。この日発表されたのは、21年10月から12月末までの第３四半期と通年の決算で、社名をフェイスブックからメタ・プラットフォームズに変更して初めてのものでした。

報告書によれば、同社の売上高は前年同期比20％増の３３６億７１００万ドルだった一方で、純利益は前年同期比８％減の１０２億８５００万ドルとそれまでの予想を大きく下回るもので、メタの株価は前日の終値から20％以上も下落したのです。

04年にマーク・ザッカーバーグ現ＣＥＯと、当時ザッカーバーグのハーバード大学のルームメイトだったエドゥアルド・サベリンによって、フェイスブックは創業されています。ハーバード大学の学生同士が交流できる場所としてオープンされたフェイスブックは、その後ハーバード以外の大学や高校などにも開放され、最終的には13歳以上なら誰でも加入できるＳＮＳになりました。

■ 図9-1　FacebookのDAU、MAUの推移

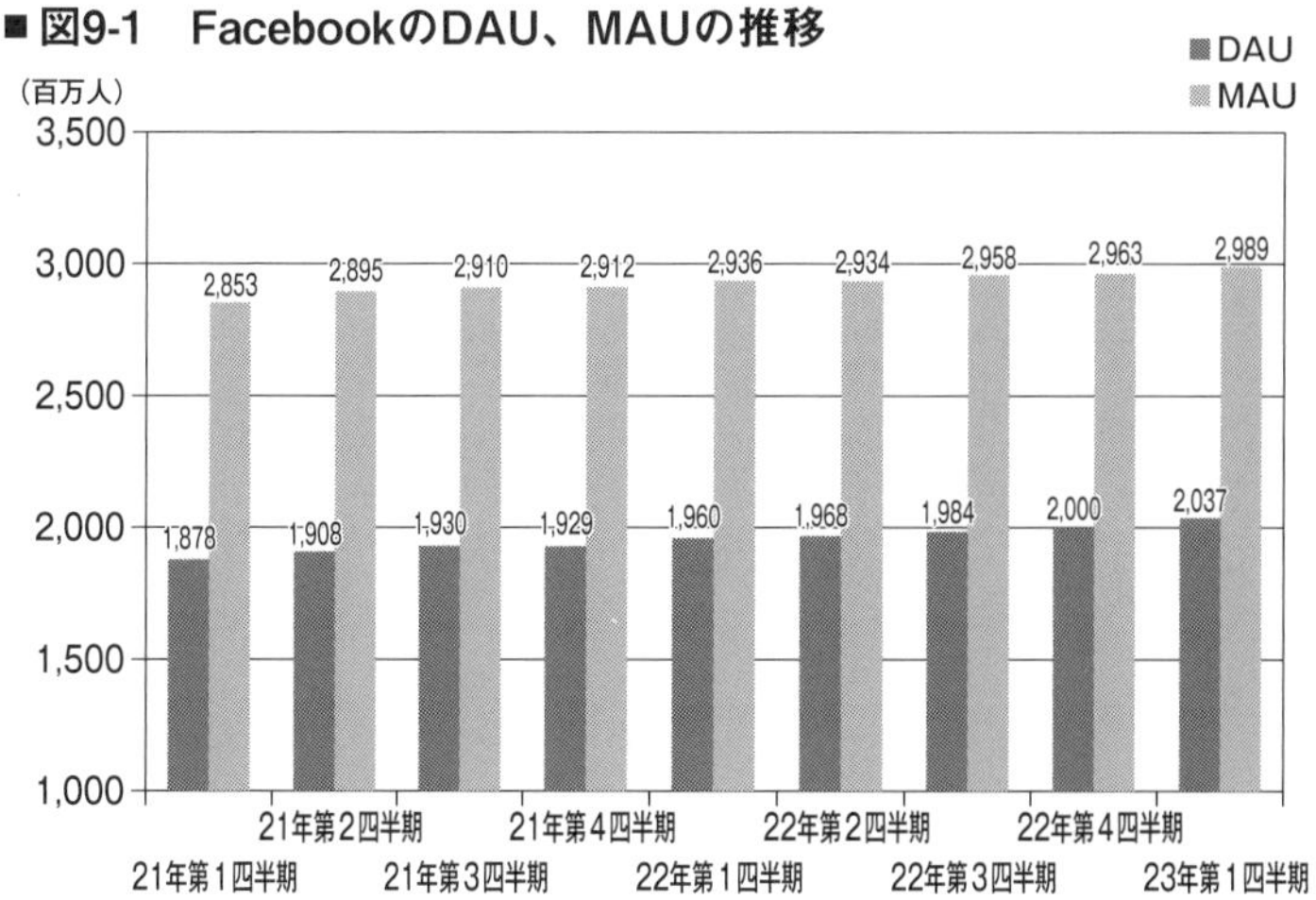

会員資格を広げることで、フェイスブックはユーザー数を急激に伸ばし、現在では世界に29億5800万人のユーザーを抱える世界一のSNSに成長しています。

ところが、順調に伸びていたフェイスブックですが、21年から22年にかけて、どうやらDAUが微減している時期があるのです。DAUというのは、Daily Active Usersの略で、1日に1回以上サービスを利用したユーザー数のことです。ちなみに月1回以上サービスを利用したユーザー数は、MAU（Monthly Active Users）で表します。21年第1四半期～22年第4四半期のMAUとDAUは図9-1のようになっています。

21年末～22年にかけて横ばい、あるいはDAUをMAUで割って出される比率を見ると、

利用の実態がわかってきますが、この値からも利用が微減していることがうかがわれます。

この時期に気になるのは、**アップルのプライバシー強化**です。21年10月、アップルはアイフォーンのOSをアップデートしています。このときのアップルのプライバシーポリシーの変更により、ユーザーのアクティビティを追跡しにくくなり、アイフォーンユーザーにはターゲティング広告を配信することが困難になったのです。

フェイスブックはページ内に広告を表示し、これが大きな収入源になっていますが、アイフォーンのOSが変更されることが直接収入減に結びつきます。広告のクライアント側も、ユーザーのアクティビティの追跡が行えず、ユーザーごとに適する広告の配信が困難になります。

プライバシーポリシーの変更に伴うOSのアップデートで、広告収入に依存していたSNSは大きな曲がり角に立たされているのです。

フェイスブックに代わって若者の人気になってきたのが、第8章でも取り上げたティックトックです。中国のバイトダンスが運営するショート・ビデオ共有サービスですが、バイトダンスの発表によれば、ティックトックの広告収入は19～24年の間に、なんと70倍もの増収になると見込まれています。

時代によって中心となるSNSは変遷するものですが、このSNSの変曲の大きな要因となっているのが、Z世代の台頭だと考えられます。

世界最大の人口ボリューム層、Z世代はデフォルトでサステナブル

フェイスブックの広告収入が減収となったのは、アップルのプライバシーポリシーの変更によるところも大きいのですが、実はZ世代が台頭してきたのも大きな要因のひとつです。

Z世代というのは、1990年代中盤から2000年代終盤、あるいは2010年代序盤までに生まれた世代のことを指しています。この世代は、生まれたときからパソコンがあり、インターネットも日常的に使われるようになり、成長するに従ってネットを介して世界につながるゲームやSNSに日常的に馴染んできた世代です。10代になる前からスマートフォンが登場し、スマホネイティブの世代だといってもいいでしょう。

この世代の特徴として、ダイバーシティや人権問題、地球環境問題、それにSDGsといった問題や課題への関心が高いという点もあります。プライバシー問題にも関心が深く、アップルのプライバシーポリシーの変更も問題なく受け入れています。

たとえば、22年11月にチューリッヒ保険会社が行った「世代間における気候変動に関する意識調査」によれば、気候変動問題に最も関心が高かったのはZ世代で、「非常に関心がある」「やや関心がある」と答えた人は全体の63・2％にも達していました。ミレニアル世代では55・2％、Y世代では61％です（図9‐2）。

ちなみにこの調査では、18〜25歳をZ世代、26〜35歳をミレニアル世代、36〜45歳をY世代と分類しています。

さらにこの調査では、「気候変動対策のひとつである脱炭素に向けて、私生活の中で意識して取り組んでいることはありますか」という質問に対し、「ある」と答えた人はZ世代で49・4％もいたのに対し、ミレニアル世代では32・7％、Y世代では34・1％にとどまっていました（図9‐3）。

15年9月の国連サミットで、加盟国の全会一致で採択されたのが、「持続可能な開発のための２０３０アジェンダ」です。このとき、「持続可能な開発目標（ＳＤＧｓ）」として17のゴールが設定されています。そのうちのひとつに、「エネルギーをみんなに、そしてクリーンに」という目標があり、さらに「気候変動に具体的な対策を」という目標もあり、気候変動の原因となる温室効果ガス排出の減少や、気候変動に伴う環境変化への適応やその影響の軽減があります。脱炭素はこれらの項目と深く関係する問題です。

■ 図9-2　世代別気候変動問題への関心

Q1. あなたは、気候変動問題に関心はありますか。

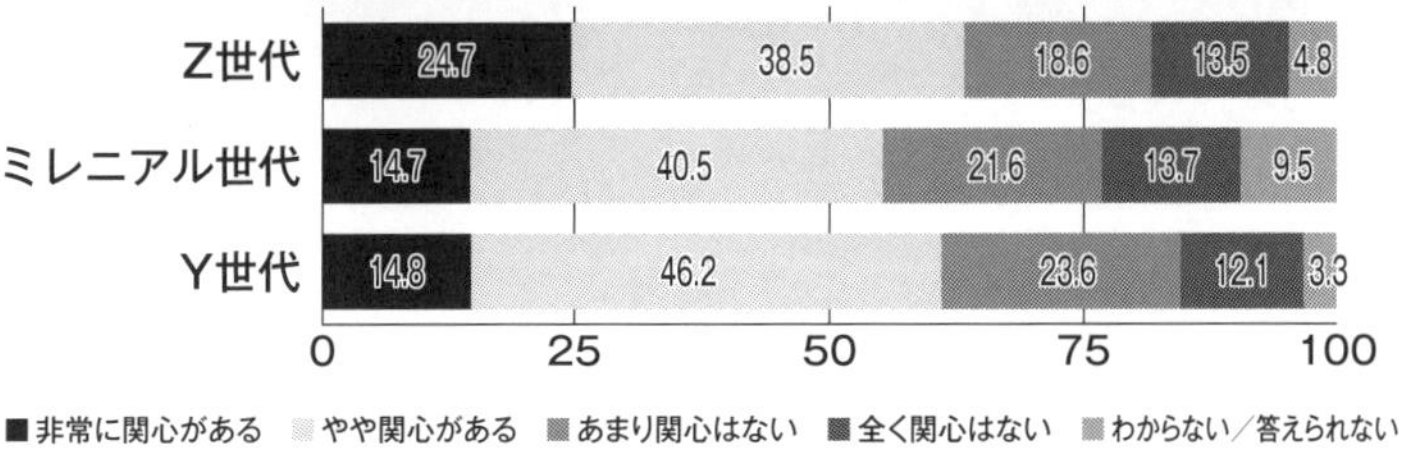

Z世代（n=312）　ミレニアル世代（n=306）　Y世代（n=305）

出所：チューリッヒ保険「世代間における気候変動に関する意識調査」より

■ 図9-3　脱炭素への取り組み

Q4. あなたは、気候変動対策のひとつである脱炭素に向けて、私生活の中で意識して取り組んでいることはありますか。

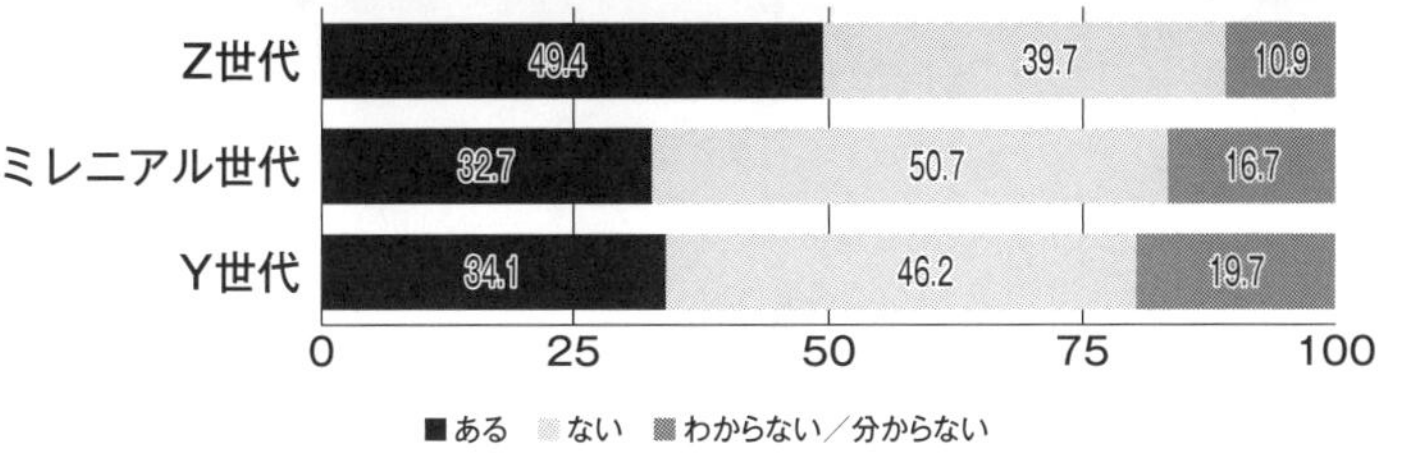

Z世代（n=312）　ミレニアル世代（n=306）　Y世代（n=305）

出所：チューリッヒ保険「世代間における気候変動に関する意識調査」より

Z世代というのは、生まれながらにして環境問題や人権問題に関心が高く、最初からサステナブルなのです。

そのZ世代の人口が、世界では32%に達しています。高齢化が進む日本では、Z世代の割合は15%ですから意識することは少ないですが、世界で見たときにはZ世代の人口がすでに3分の1近くまで迫り、**最大の人口ボリュームゾーンになってきている**のです。

〝盛らずに〟「リアルを見せる」「BeReal」

デフォルトでサステナブルなZ世代は、フェイスブックよりもティックトックを選ぶように、従来のSNSではなく別のSNSを選択しています。たとえば、ビーリアル(BeReal)——。

ビーリアルは、20年にフランスで公開されたSNSアプリです。当初はあまり注目されていませんでしたが、22年初頭から半ばにかけ、急速に人気になっています。ビーリアルは、毎日ランダムに選ばれた時間帯に、スマホで自分やその周辺の写真を撮って投稿するというだけのアプリです。写真の編集や、「いいね！」を付けるといった機能はなく、いたってシンプルなアプリです。

■図9-4　BeRealのアプリ紹介画面

写真を撮って投稿するだけのシンプルなアプリだが、友人や投稿された写真を閲覧することもできる

ただし、写真を投稿しているユーザーや知人、友人などをフォローしたり、逆に自分がフォローされたりする機能があり、写真を投稿すればフォローしている相手の写真を閲覧することもできます。その意味で、ビーリアルもＳＮＳに分類されるサービスといってい

いでしょう。

なぜ、これほどシンプルなサービスに人気が出てきたのでしょう。つい最近までインスタグラムに代表されるように、ネットに投稿する写真は〝盛る〟のがデフォルトで、いかに見栄えのいい、〝映える〟写真を投稿しているかが人気を得る秘訣でした。映える写真には「いいね！」がたくさん付き、それを競い、共有された数に一喜一憂するのが、SNSの楽しみ方のひとつでもあったのです。

ところが、Z世代はそんなSNSに飽きてきたのか、あるいは「SNS疲れ」という言葉が象徴するように、SNS上の評価や数字にストレスを感じ始めているのでしょう。ビーリアルは「一度だけの本当の自分を友達に見せる」ことを目的としており、同じSNSでもごくごくゆるやかなつながりで「今」を共有できるようになっています。ビーリアルでは、〝盛らずに〟リアルを見せることが目的です。何も考えず、そのままの日常を発信できるビーリアルは、ストレスがなく新鮮なのでしょう。それこそがZ世代のSNSの使い方なのです。

フェイスブックやインスタグラム離れがZ世代に広がり、またイーロン・マスクが買収したツイッターを敬遠する動きも出てきています。ツイッター買収の話が出てきた16年には、分散型SNSのマストドン（Mastodon）がブームになっています。

これは世界中にいくつものホストが立てられ、ユーザーは1つのホストに登録すると、投稿されたメッセージ（ツイッターのツイートと同じようなもの）が、互いに接続し合っているホストで閲覧できるというSNSです。ホストプログラムはオープンソースのため、誰でもホストを立てることができ、世界中でたくさんのホストが運営されています。

ビーリアルでもマストドンでも、Z世代のSNSの使い方が、従来の世代とは異なってきています。とすれば、**SNSを中心に巨大になったビッグ・テックは、Z世代に合わせたまったく新しいサービスを模索しなければならない時代になった**というべきでしょう。

「スナップチャット世代」は150％以上も画像でのコミュニケーションを好む

ビーリアルやマストドンばかりでなく、Z世代に人気のSNSに、スナップチャット（Snapchat）があります。

スナップチャットというのは、11年に米スタンフォード大学のエヴァン・シュピーゲルとボビー・マーフィ、レギー・ブラウンによって始められたサービスで、写真や動画を投稿し、登録した友達やグループで共有するサービスです。スマホ向けの写真共有アプリと

■ 図9-5　Snapchatのアプリ紹介ページ

投稿した写真や動画は、一定時間が経過すると自動的に消えてしまう

紹介されることが多いのですが、実態はインスタグラムのような写真共有SNSといえるものです。

スナップチャットの大きな特徴は、投稿する写真や動画に「レンズ」と呼ばれるARフィルターをかけてさまざまに加工することができる点です。また、投稿した写真や動画は、一定時間が経過すると自動的に消えてしまいます。

フェイスブックやインスタグラムには、ストーリーと呼ばれる機能があります。これは投稿した写真や動画などが、フォロワーに24時間だけ見られ、その後は自動的に消える機能ですが、スナップチャットはこのストーリー機能に特化したサービスだと考えればいいでしょう。

消えてしまうものに、なぜ人気があるのでしょうか。それは24時間で消えてしまう写真のため、特に〝映え〟を気にする必要がなく、手軽に楽しめるからでしょう。

友人同士でグループチャットを設定し、メッセージをやり取りしたりビデオチャットを行ったりすることも可能です。また、投稿する写真やメッセージには、投稿者が閲覧時間を1~10秒の間に設定することもでき、写真やメッセージを投稿してもわずか10秒で消えてしまうといったことが可能になっています。閲覧する側も、開けたらすぐに消えてしまうことがわかっていますから、どんな写真やメッセージなのだろうかとドキドキするでしょう。このドキドキ感も楽しいのです。

スナップチャットを利用する世代はZ世代と重複し、リアルな日常をちょっとふざけて楽しんでいます。

スナップチャットから発表された21年の投資家向けのプレゼン資料には、**スナップチャット世代は150％以上も画像でのコミュニケーションを好む**、と報告されています。

その写真も、ほんの数秒から24時間まで、投稿しても消えてしまいます。この「消える」という特殊性が、これまでのＳＮＳにはなかった大きな特徴なのです。他者の評価を気にせず、承認欲求から解放された新しいＳＮＳとして、スナップチャットはＺ世代を中心にＳＮＳの可能性を広げているのです。

「スナップチャット世代」の広告戦略

スナップチャットを運営するスナップ（Snap Inc.）は、前述のように11年に立ち上げられ、15年には5億３７００万ドルの資金調達をしています。さらに17年にはニューヨーク証券取引所に上場しています。

上場はしたものの、利益は赤字でした。17年の売上は8億２４９５万ドル、34億４５００万ドルの赤字でした。22年末の決算でも、売上高が46億ドルに対し、利益は14億２９６５万ドルの赤字です。

しかし、売上高だけをグラフ化すると、急激に上昇しているのがよくわかります（図９

‐6）。しかも21年の第4四半期に限れば、四半期ベースでは初めて黒字を記録しており、これによって同社の株価は急騰し、一時60％近くも急伸しています。

スナップから発表されている株主や投資家向けレポートには、「スナップチャット世代は、自分たちが重要だと考えている社会課題に反しているブランドの商品は購入しない傾向がある」と記載されています。フェイスブックとスナップチャットの売上高と会員数の増加を比べると、Z世代あるいはスナップチャット世代である10代の価値観がスナップチャットに移行してきていることが読み取れます。スナップチャットとフェイスブックは、それほど対照的なSNSだともいえます。

フェイスブックがアップルのプライバシーポリシーの変更と、それに伴う広告システムの変更で大きなダメージを受けていることは説明しましたが、同じくスナップチャットでも、このアップルの広告システムの変更は深刻なようです。

21年10月には、同社のエヴァン・シュピーゲルCEOが「アイフォーンの広告システムの変更により、デジタル広告事業に打撃を受けている」と認めています。この発言で同社の株価が下落していますが、それでもスナップチャットのユーザー数は増加し続けています。

23年2月の数字では、スナップチャットの月間アクティブユーザー数は7億5千万人で

■図9-6　スナップの売上高の推移

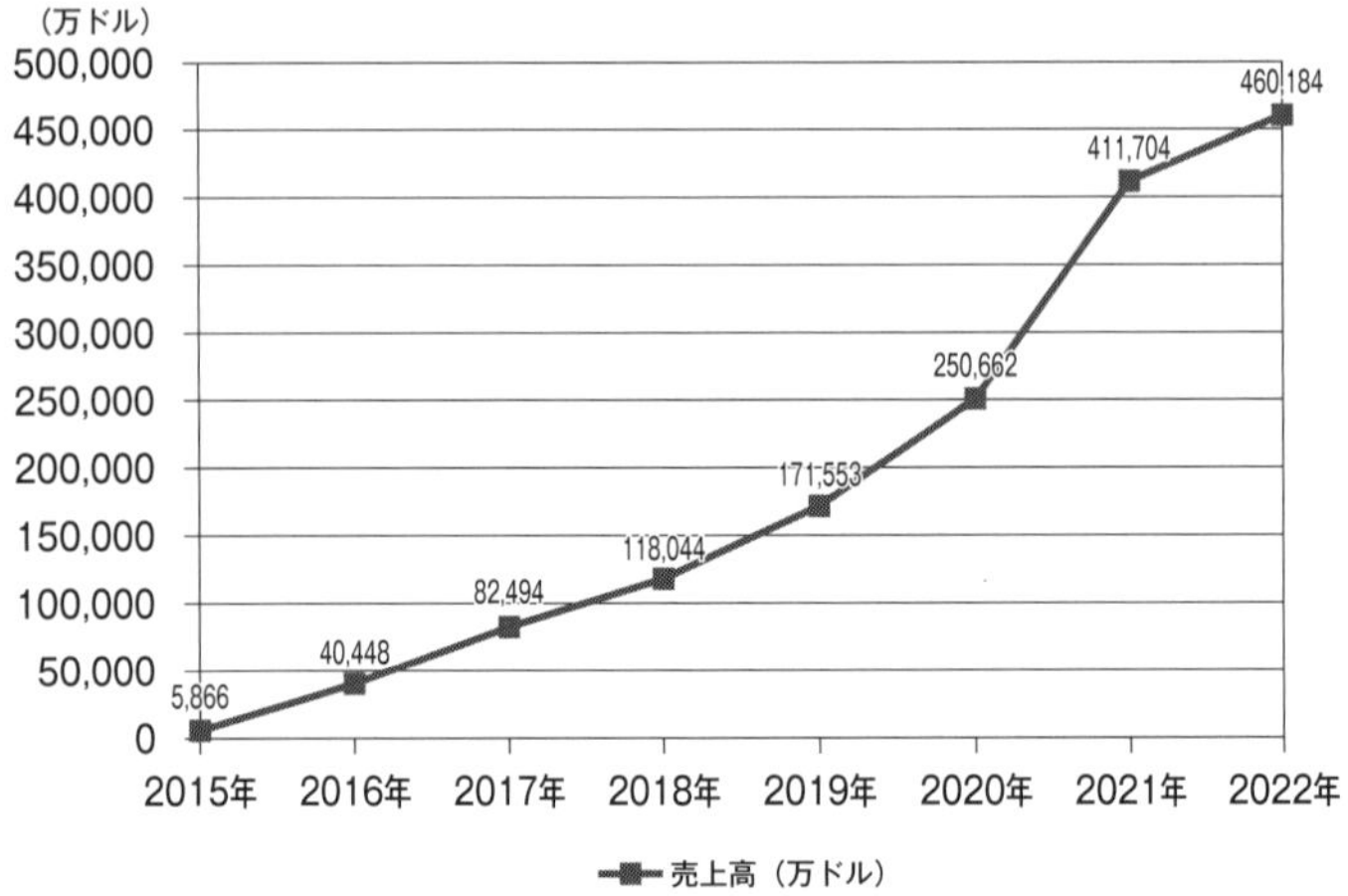

出所：Snap Inc. プレスリリース「Financial Results」より

■図9-7　スナップチャットのDAU推移

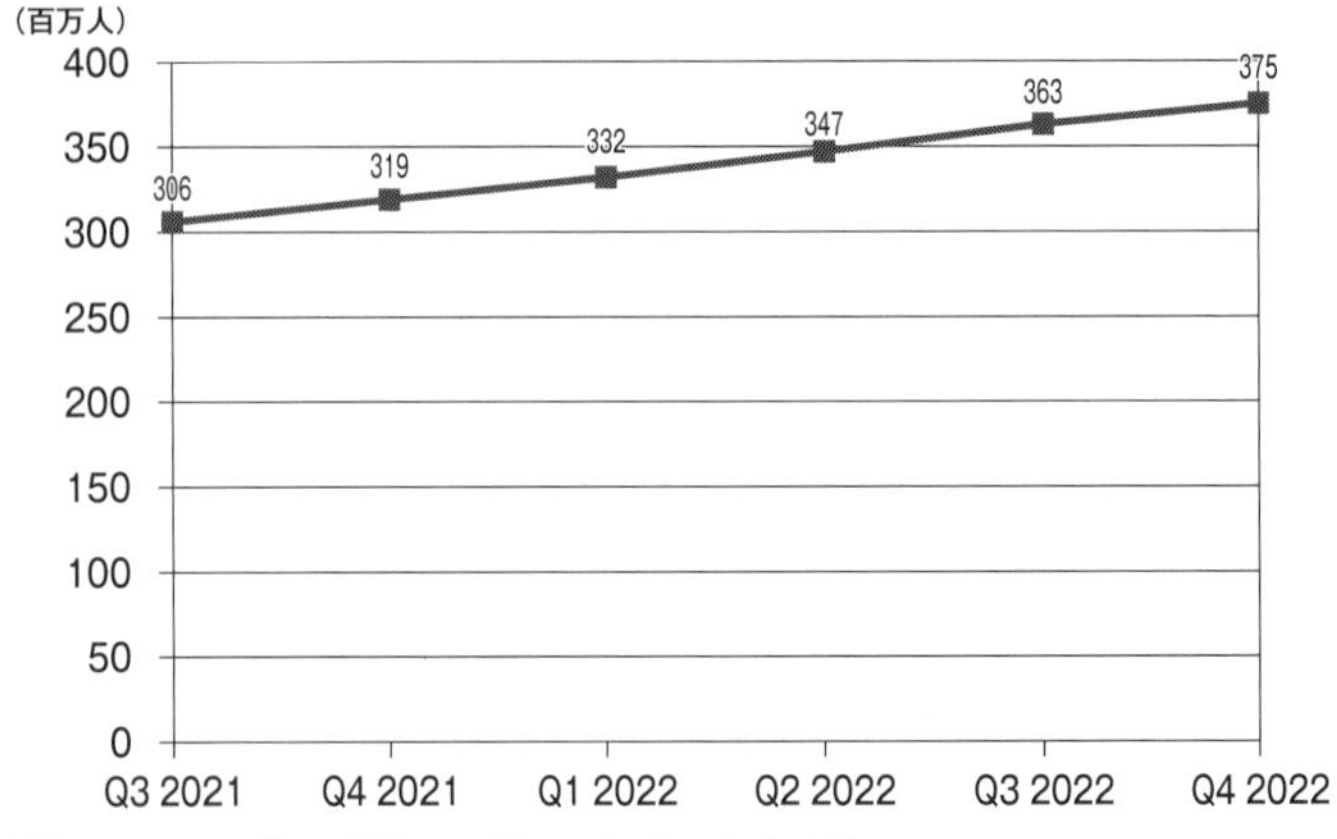

出所：Snap Inc. プレスリリース「Financial Results」より

した。また、1日当たりのアクティブユーザー数を表すDAUは、図9-7のように推移しており、22年第4四半期では3億7500万人に達し、右肩上がりに推移しています。

SNSのユーザーは、今後ますますデジタルネイティブ世代が中心になっていきます。従来のフェイスブックのようなSNSから、スナップチャットのような気軽にコンテンツを投稿できるSNSが、今後ますます注目されていくでしょう。

Z世代の嗜好からSNSを再構築する

スナップから発表されているレポートには、もうひとつ興味深い記事が掲載されていました。

フェイスブック同様、スナップもその収入源は広告なのですが、その広告クライアントが自分たちが重要だと考えている社会問題に反している場合、そのブランドの商品は購入しない傾向にあることはすでに述べた通りです。それは、広告とユーザーの消費行動を分析して導かれた結論でしょう。

加えて、スナップチャット世代は、**他の世代と比べてARを3倍以上活用している**、という報告もあります。

スナップチャットに掲載する写真には、前述のように「レンズ」というカメラフィルター機能を利用し、さまざまに加工することができるようになっています。また、写真の上にキャラクターをかぶせたり、スタンプを挿入したりするといった機能もあり、加工した面白い写真を投稿して共有できるようになっています。これがスナップチャットのＡＲ機能です。写真という現実を少しだけ拡張し、面白く加工できるという機能です。

インスタグラムやフェイスブックのストーリー機能では、写真を加工しないユーザーが多くなってきています。それに対し、同じ24時間で消えてしまうスナップチャットでは、逆に写真を加工するユーザーも多いのです。

あるいはビーリアルのように、「今」を切り取った写真しか投稿できないＳＮＳもあります。スナップチャットとビーリアルは、同じ写真共有ＳＮＳとはいっても、この点が真逆ともいえるほど異なっています。

写真を加工するかしないかは、ＳＮＳのユーザー層の違いだといっていいでしょう。フェイスブックのユーザー層の年齢が上がるにつれ、写真の加工頻度が下がっているのに対し、スナップチャットのユーザーはＺ世代が中心で、スマホネイティブ世代でもあります。スマホで写真を加工することなど日常的で、〝映え〟よりも面白さを楽しむのでしょう。

さらに、「スナップチャット世代は他の世代と比べ、３６０度画像、モバイルゲーム、

AR等を1・4倍以上利用している」という記載もあります。360度画像というのは、上下左右のすべての方向から一度に撮影できるカメラのことで、「全方位カメラ」などとも呼ばれているものです。専用のデジタルカメラもありますが、スマホのカメラで撮影できるアプリもあり、スナップチャット世代はこれらのアプリを利用して360度画像を楽しんでいるのでしょう。

モバイルゲームやARなど、スマホで楽しめるものもたくさんあります。スナップチャット世代とは、言い換えればスマホネイティブ世代で、日常生活にも遊びにも、いつでもどこでもスマホを活用しています。

このZ世代、スナップチャット世代の行動や嗜好を知ることが、今後のSNSの方向を決定付けることにもなるでしょう。その意味でも、今後数年はスナップチャットが伸びるSNSだと予想できます。

新興国に学ぶべきこと

さまざまな統計資料や決算報告書などを分析してみても、現在のGAFAMは、その企業規模や売上高、扱っている分野などにおいて、やはり強大でビッグ・テックの名前通りのテック企業です。

しかし、フェイスブックの例もあるように、特定の分野に突出していることで、時代の趨勢に逆らえずに業績が下降するケースも出てきます。実はこのことは、2番手企業についても同じことがいえます。

スナップチャットがフェイスブックに変わる新しいSNSとして注目を集めていることや、ビーリアルやマストドンのように、ツイッターに置き換わる新しいSNSを目指すサービスなども出てきていますが、SNSに特化する以上は、やがてフェイスブックと同じ道をたどることになるでしょう。

フェイスブックはSNSからメタバースへとその軸足を移そうとしていますが、スナップチャットやビーリアル、あるいはツイッターも、同じく別のサービスや機能に移っていけるかどうかは疑問です。

その意味では、現在GAFAMやテスラといったビッグ・テックを追いかける新興国の企業には学ぶべき点がたくさんあります。

たとえば、ビンファスト（VinFast LLC）です。CES 2023の会場でひときわ目を引いた企業です。同社はベトナムの自動車メーカーですが、もともとベトナム最大の財閥であるビングループの企業で、17年に自動車製造業に参入するために工場を建設し、19

年から稼働しています。

この工場では、最初はガソリン車を製造していましたが、22年にガソリン車から撤退。以後はEV専業メーカーとして電気自動車や電動バイクの製造に乗り出し、同年には海外輸出も始まっています。

工場完成からわずか3年、EV車に移ってから1年も経たないうちに海外輸出まで実現するという素早い動きは、GAFAMやテスラ、あるいはメルセデス・ベンツやトヨタといった大手でも真似のできないことでしょう。

今後EV車が主流になれば、ハードとしての車やEVは、数年後には収益が残らなくなります。収益が残るのは、そのOSやプラットフォーム、重要部品といったものだけです。ハードで収益化や量産化を実現できるメーカーは少数しか残らないと予想させる状況でした。

スマホの黎明期には、スマホというハードを製造・展開するメーカーが乱立しました。中国などではまだそんな側面も残っていますが、乱立したメーカーの大半は市場から退場しているのが現実です。

EV車もまったく同じで、自動車のハードを製造・販売するだけのメーカーは、やがて市場から締め出されてしまうでしょう。ビンファストのEV車は、エンジンなどの重要な部分はヨーロッパやアメリカのトップデザイナーから購入し、自動車そのもののデザインはベントレーやBMW、フェラーリ、ベンツ、ランボルギーニといった高級車のデザインを手掛けるイタリアの有名デザイナーに依頼しているそうです。

新興国と侮ってはいけません。新興国の企業の、まったく新しいやり方が、GAFAMやテスラ、トヨタなどの足をすくうこともあります。それが現実になる日も、そう遠いことではありません。**デジタルの時代だからこそ、ビッグ・テック＋テスラは新興国に謙虚に学ぶべきなのです。**

顧客から人間中心へ

「私たちは正真正銘、顧客中心主義ですし、正真正銘、長期的な視野を持ち、正真正銘、創意工夫を重視しています」――アマゾンの創業者ジェフ・ベゾスは、『The Everything Store: Jeff Bezos and the Age of Amazon』(Brad Stone)の中でこう語っています。

アマゾンが創業時より最も重視したのは「顧客中心主義」であると、ベゾスはことあるごとに語っています。初心を忘れないよう、アマゾンの会議室のテーブルに、「ドア材の机を6台」並べているそうです。アマゾンが創業したとき、会社として使った改造したガレージで、木製ドアを机として使っていたためとされています。

この「顧客中心主義」から脱却しつつあるのではないか、とここ数年のテック業界を観察していると感じてきます。顧客中心主義を追求していくと、特定の顧客の欲求を満たすためにそれ以外の顧客をはじめ、従業員、地域社会、ステイクホルダーすべての利益を損ねてしまう危険性があります。

その弊害が指摘されるようになり、反動として出てきたのが「**人間中心主義**」です。顧客だけでなく、従業員や取引先、地域社会といったすべてのステータスホルダーを大切にしようという考え方です。

そんな考え方が出てきた要因のひとつは、地球環境の変化です。全人口の3分の1に迫ろうとしているZ世代の関心事のひとつに、地球環境問題がありました。SDGs全般に対する関心も高く、しかも自分たちが重要だと考えている社会課題に反しているブランドの商品は購入しない、という傾向も持っています。

このようなZ世代を顧客としていくには、**Z世代が課題だと考えている問題に対し、企業として対応していくこと**も必要なのです。そうでなければ、自分たちが提供しているサービスや製品そのものからも顔を背けられる可能性があるからです。

アメリカでは21年3月、反アマゾンの急先鋒として知られる法学者リナ・カーンが、米連邦取引委員会（ＦＴＣ）の委員に選ばれました。従来の反トラスト法では、ＧＡＦＡＭを取り締まれないと彼女は「アマゾンの反トラスト・パラドックス」という論文で主張しています。

そのリナ・カーンがＦＴＣの委員に選出されたことで、ＧＡＦＡＭに対する規制はもっと厳しいものになる可能性も高いのです。

もちろん、ＧＡＦＡＭやテスラなどビッグ・テックも企業ですから、顧客中心主義です。その上で、顧客中心主義を進展させて「人間中心主義」に移行していくことが、現在の喫緊の課題ともいえるのです。人口の最大ボリュームになりつつあるZ世代を取り込むためにも、サービスを提供する姿勢そのものの見直しが必要な時代になってきたのです。

デジタル＋グリーン＋エクイティの時代

ＧＡＦＡＭの各企業には、それぞれ独自の〝目標〟あるいは〝目的〟のようなものがあります。たとえばグーグルなら、「世界中の情報を整理し、世界中の人々がアクセスできて使えるようにすること」です。もちろんこれは、「グーグルが掲げる10の事実」のひとつとして、同社のホームページにさえ掲げられているものです。

アマゾンでは、「世界最大のセレクション（biggest selection in the earth)」という言葉を企業のスローガンに掲げています。もともとベゾスは、「エブリシング・ストア」という構想を持っており、何でも買える店を作りたいという夢を持っていました。テスラにいたっては、「世界を持続可能なエネルギーへ」を目標に掲げ、「人類を救済する」ことを究極の目的とまでしています。

ＧＡＦＡＭに限らず、どの企業、経営者にも独自の〝目標〟があるでしょう。しかし、ＧＡＦＡＭやテスラのような世界屈指のビッグ・テックでは、新しい世界観を持つことが必要になります。それは**デジタルという技術とグリーン、エクイティとが三位一体となったもの**です。

デジタル化によって、人々の生活は豊かになり、便利なものになりました。反面、利便性を追求し過ぎたために、さまざまな弊害も出てきています。

これらの弊害をなくし、気候変動や格差の拡大など、人類が抱える大きな課題を解決し、地球を次の世代につないでいくために、国連サミットで採択されたのが「持続可能な開発目標（ＳＤＧｓ)」でした。

ＳＤＧｓには達成すべき目標として17のゴールが設定されていますが、それらのうち脱炭素や省エネなどはデジタルによって改善が図られます。テスラのように、太陽光発電によってクリーンエネルギーを作り出し、これを蓄え、モビリティに利用するというクリーンエネルギーのエコシステムを作り上げようとしている企業さえあります。これがSDGsの目標のひとつである「気候変動に具体的な対策を」の回答といっていいでしょう。

デジタル＋グリーンにさらに必要となってくるのが、**エクイティ**です。エクイティというのは、「公平」「公正」などと訳される言葉です。一見すると、経済活動や企業とは無関係なように感じますが、企業が提供する商品やサービスによって、顧客が豊かになるのなら、その豊かさは同じ対価を支払うすべての人々に平等に与えられる必要があります。

これもSDGsでいえば「ジェンダー平等」や多様化につながるものです。エクイティというのは、それぞれの人に、それぞれ合ったリソースを与えることによって、誰に対しても等しく同じ機会を与えることです。

この「デジタル＋グリーン＋エクイティ」を三位一体として目標に掲げたとき、GAFAMやテスラはより強力な企業へと成長するのではないでしょうか。

GAFAMによる帝国の存亡

本書では、ひと口に「ビッグ・テック」と呼ばれるGAFAMと、テック面で強みを持ちながらクリーンエネルギーのエコシステムを作り上げたテスラを取り上げ、その現状や将来性、さらに問題点、次に続くビッグ・テックなどについて詳細に解説しました。

今、ビッグ・テックは大きな曲がり角に立とうとしています。コロナ禍とその後に訪れたコロナブーメラン効果により、これまでに見たこともないほどの大量の人員削減が行われています。Z世代の台頭により、サービスや商品の見直しも迫られています。しかも地球環境の悪化から地球と人類を守るために、持続可能な開発目標が設定され、これに邁進することも企業の課題にまでなってきています。

近視眼的にいえば、80年代のコンピュータ化から90年代のインターネット、さらに2000年代のSNSとモバイル、モビリティという流れは、テック企業が「ビッグ・テック」に成長するための豊かな養分でした。

もちろん、今後もテック企業を潤し成長させる〝養分〟が、どこからか生み出されてくるでしょう。いや、テック企業そのものが自らその養分を生み出し、まるでタコが自分の足を食うように、商品やサービスを生み出しながら成長していくかもしれません。

そんな状況の中に、今度はAIが登場しました。まだ稚児《ちご》にすぎませんが、このAIをめぐって熾烈な競争も始まっています。マイクロソフトとグーグルが、AIを盛り込んだ検索で競合し、やはりマイクロソフトとアマゾンがクラウドでAIの構築を提供し、AI

に反対していたテスラのイーロン・マスクさえ、自らＡＩ企業を立ち上げ、先行するチャットＧＰＴに対抗しようとしています。

かつて地中海沿岸を中心に、ヒスパニアからゲルマニア、ガリア、クリミア、メソポタミア、シリア、ペルシア西部まで広大な地域を中心とした大規模な領土を支配するローマ帝国が栄えていました。この帝国は、やがて東西に二分され、西はローマを中心に、東はコンスタンティノープルを首都として、それぞれ栄華を誇っていましたが、やがて新興軍事勢力によって滅亡しました。西ローマ帝国が滅ぶまで１２００年、コンスタンティノープルが陥落して東ローマが滅亡するまで２２００年、ローマ帝国は栄え、やがて滅亡したのです。

現在のＧＡＦＡＭが、このローマ帝国と同じだとはいいません。しかし、栄えるものがいつか滅びの日を迎えるように、ＧＡＦＡＭもまた滅亡する日がやってくるかもしれません。米司法省の提訴や欧州一般データ保護規則など、その萌芽も出始めています。ＧＡＦＡＭの牙城を脅かす新興企業、特に中国のテック企業もその存在感を大きくしてきました。いや、フェイスブックの凋落やグーグルの広告収入の減収など、ＧＡＦＡＭ内部からさえも危険な足音が聞こえてきます。

ローマ帝国が滅亡したように、ＧＡＦＡＭもまた滅亡の道をたどるのでしょうか。あるいは態勢を立て直し、なお頂点に君臨し続けるのでしょうか。このGAFAMの存亡は、ローマ帝国にも劣らず目の離せない興味深いテーマであり、多くの業界に大きな影響を与え続けることでしょう。

本書内容に関するお問い合わせについて

このたびは翔泳社の書籍をお買い上げいただき、誠にありがとうございます。弊社では、読者の皆様からのお問い合わせに適切に対応させていただくため、以下のガイドラインへのご協力をお願い致しております。下記項目をお読みいただき、手順に従ってお問い合わせください。

●ご質問される前に

弊社Webサイトの「正誤表」をご参照ください。これまでに判明した正誤や追加情報を掲載しています。

正誤表　https://www.shoeisha.co.jp/book/errata/

●ご質問方法

弊社Webサイトの「刊行物Q&A」をご利用ください。

刊行物Q&A　https://www.shoeisha.co.jp/book/qa/

インターネットをご利用でない場合は、FAXまたは郵便にて、下記"翔泳社愛読者サービスセンター"までお問い合わせください。
電話でのご質問は、お受けしておりません。

●回答について

回答は、ご質問いただいた手段によってご返事申し上げます。ご質問の内容によっては、回答に数日ないしはそれ以上の期間を要する場合があります。

●ご質問に際してのご注意

本書の対象を越えるもの、記述個所を特定されないもの、また読者固有の環境に起因するご質問等にはお答えできませんので、予めご了承ください。

●郵便物送付先およびFAX番号

送付先住所　〒160-0006　東京都新宿区舟町5
FAX番号　03-5362-3818
宛先　（株）翔泳社 愛読者サービスセンター

※本書に記載されたURL等は予告なく変更される場合があります。
※本書の出版にあたっては正確な記述につとめましたが、著者や出版社などのいずれも、本書の内容に対してなんらかの保証をするものではなく、内容やサンプルに基づくいかなる運用結果に関してもいっさいの責任を負いません。
※本書に記載された内容はすべて筆者の個人的な見解に基づいたものであり、特定の機関、組織、グループの意見を反映したものではありません。また、本書に掲載されている情報の利用によっていかなる損害が発生したとしても、著者並びに出版社は責任を負いません。
※本書の内容は、2023年5月10日現在の情報等に基づいています。

著者プロフィール

田中 道昭（たなか・みちあき）

立教大学ビジネススクール（大学院ビジネスデザイン研究科）教授。シカゴ大学ブース・スクール・オブ・ビジネスMBA。専門は企業戦略＆マーケティング戦略およびミッション・マネジメント＆リーダーシップ。上場企業取締役や経営コンサルタントも務めている。

テレビ東京「WBS」コメンテーター。テレビ朝日「ワイド！スクランブル」月曜レギュラーコメンテーター。

三菱東京UFJ銀行投資銀行部門調査役、シティバンク資産証券部トランザクター（バイスプレジデント）、バンクオブアメリカ証券会社ストラクチャードファイナンス部長（プリンシパル）、ABNアムロ証券会社オリジネーション本部長（マネージングディレクター）などを歴任し、現在は株式会社マージングポイント代表取締役社長。小売、流通、製造業、サービス業、医療・介護、金融、証券、保険、テクノロジーなど多業種に対するコンサルティング経験をもとに、雑誌やウェブメディアにも執筆中。

主な著書に『GAFA×BATH』（日本経済新聞出版社）、『アマゾン銀行が誕生する日』『世界最先端8社の大戦略』（日経BP社）、『アマゾンが描く2022年の世界』『2022年の次世代自動車産業』『ソフトバンクで占う2025年の世界』（PHPビジネス新書）がある。

編集協力　武井 一巳
装丁　山之口 正和（OKIKATA）
DTP　一企画

GAFAM《ガーファム》＋《プラス》テスラ　帝国の存亡

ビッグ・テック企業の未来はどうなるのか？

2023 年 6 月 12 日　初版第 1 刷発行

著者　田中《たなか》 道昭《みちあき》
発行人　佐々木 幹夫
発行所　株式会社 翔泳社（https://www.shoeisha.co.jp）
印刷・製本　中央精版印刷 株式会社

本書へのお問い合わせについては、286 ページに記載の内容をお読みください。
落丁・乱丁はお取り替え致します。03-5362-3705 までご連絡ください。

ISBN978-4-7981-8160-8　Printed in Japan